親中派の嘘

Sakurai
Yoshiko

櫻井よしこ

産経セレクト

S-017

はじめに――親中派の嘘

暴かれた中国の実像

中国湖北省の大都市、武漢市で発生した新型コロナウイルス（武漢ウイルス）は中国共産党の実像を生々しく描き出した。

中国国内においては人民を強権支配し、外に対しては経済力、軍事力、情報操作で強者の論理を貫き勢力を広げる。強気政策のその裏に隠されていた脆さを一気に暴き出したのが武漢ウイルスだ。

周知のように武漢ウイルスに対して中国共産党政権は当初、何の危機感も抱いておらず、武漢市当局はウイルスに感染した患者の発生を隠した。他方、原因不明の肺炎患者の発生を重大事と受けとめた医師、李文亮氏は二〇一九年一二月三〇日、「華南海鮮市場で七名がＳＡＲＳ（重症急性呼吸器症候群）に罹り、我々の病院の救急科に隔離されている」とグループチャットで発信した。李文亮氏はその発信を咎められ、事情聴取を受け、「違法問題」に対する「訓戒書」に署名させられた。

一連の事柄は中国共産党が二〇〇二年から〇三年にかけてのＳＡＲＳ問題から何も学んでいなかったことを示している。ＳＡＲＳの後、中国共産党は疫病発生を阻むための組織、施設作りに、あるいは人材育成、研究・開発に膨大な投資をしたはずだった。

だが、危険情報の収集も分析も対応策の考案も、共産党政府にはできていない。なぜか。習近平主席一人に権限が集中し、「偉大な指導者」に誰も物を言えない国になってしまったからだ。専制独裁体制の下ではリスクをとらないのが生き残りの秘訣だ。当局が聞きたくもなく、認めたくもない嫌な情報は報告しないに限る。専制独裁体制下の社会の常として、問題提起をするよりも指示待ち姿勢に徹することが身の安全を担保してくれる。時にはそれで大きな出世も望むことができる。こうして対策が遅れウイルスはコントロール不能な次元まで広がった。事態の深刻さに気づいた習氏は直ちに二つのことを実行した。

一つは国際社会における中国の立場を守ることである。もう一つは何としてでも武漢市の真実を覆い隠すことである。

本文でも触れた点だが、まず中国は世界保健機関（ＷＨＯ）に強い圧力をかけて、一月二二～二三日の会議で「国際的に懸念される公衆衛生上の緊急事態」の宣言を見送らせた。当該ウイルスのヒトからヒトへの感染は限定的だなどの誤った情報まで出させ、結果として国際社会にウイルスを広げた。

ＷＨＯ事務局長のテドロス氏は「中国の講じた大規模な感染予防・抑制行動によって世界はより安全になった」などとも語った。

中国マネーの効用は鮮やかだ。

白を黒、黒を白に

習氏の二つ目の目標は一月二三日午前二時すぎに、突如武漢市封鎖を宣言したことで達成された。だが封鎖が始まるまでに、すでに五〇〇万人が武漢を離れており、後に世界にパンデミックを引き起こす原因となった。

武漢市では習氏の指示で一切の人の移動が止められ、外国メディアは排除された。

中国メディアにも真実を報道させないことで、中国共産党は徹底的に情報を隠した。

武漢市をはじめその他の大都市でも、多くの死者を出しながら、中国共産党は彼らなりのやり方でウイルスの猛威を抑えたが、その実態は棄民である。中国政府は四月一一日、武漢ウイルスの感染者は八万一九五三人、死者は三三三九人と発表したが、中国を知悉《ちしつ》する人々の中には実際の感染者や死者の数は、少なくとも一桁どころか二桁多いと指摘する人もいる。

こうした中、中国政府はいち早くウイルス問題の終息を宣言し、三月一六日には多くの工場を再開させ始めた。いち早く生産活動を再開した彼らは武漢ウイルス問題を逆利用し、米国に取って替わる世界の指導者を目指して野心満々である。そのために中国がつく嘘は壮大である。文字どおり、白を黒と言い、黒を白と言う。

ウイルスの発生を初期段階で隠蔽《いんぺい》して世界に広げた当事国の中国が、世界の衆人環視の中で、武漢ウイルスは米軍人が中国に持ち込んだと言い始めたのには、世界中が驚いたはずだ。直ちに米国のポンペオ国務長官もトランプ大統領も「武漢ウイルス」「中国ウイルス」などの表現で反撃した。中国に親和性を感ずる人々はトランプ氏が「中国ウイルス」と言うのは人種差別につながるなどと批判したが、攻撃相手を間違えている。中国が理不尽な攻撃を米国に仕掛けたことを責めるべきだ。中国の手法、中国が得意とする「修正主義」に甘い顔を見せてはならない。

それにしても眼前で進行中のウイルス禍が武漢から発生したことは世界中が知っている。それでも、それを米国由来だと主張する彼らの桁外れの嘘、その精神、その粘着性。中国の恐ろしさを私たちは忘れてはならないだろう。

日本は中国の嘘、修正主義によって大きな傷を負わされた。「南京大虐殺事件」「三〇万人の虐殺」や「慰安婦強制連行」「性奴隷」「戦争終了直前に三〇万人の慰安婦を殺害」など、これ以上ないほどの嘘を吹聴されてきた。情けないことに、わが国は親中派主導の外交で、中国にまともな抗議をしてこなかった。結果として、歴史の濡れ衣を着せられて今日に至る。

「中国の善意」

いま、日本を陥れたのと同じような手法で米国を陥れようとする中国のやり方を目撃できたことは、日本にとって不幸中の幸いである。私は中国共産党のこの姿を、とりわけ親中派の人々によく見て、記憶してもらいたいと願っている。

中国はウイルスとの闘いを巧みに自国の権益につなげ、着々と世界制覇実現へと歩を進めている。その一端が医療・医薬品の利用である。マスク問題を例にして考えてみよう。

「一つの傘に身を寄せ合って、春雨を乗り切りましょう。北九州がんばれ！　日本がんばれ！――」

このメッセージと共にマスク二〇万枚が北九州市に届いた。送り主は友好都市の中国・大連市だ。二月初めに北九州市が大連市に送った二六〇枚などへのお返しだそうだ。朝日新聞が「今度は769倍返し　中国から『日本がんばれ』マスク」として三月三〇日に報じた。

四月一日にはテレビのワイドショーが「中国への支援で日本に好意？　マスク返礼769倍の〝お返し〟も…」と特集し、二六〇枚が七六九倍になって戻ってきたと好意的に報じた。だが事はそんなに簡単でも、善意ばかりのことでもなかった。

中国の工場でマスクを製造する販売会社社長が別のワイドショーで語ったカラクリを知ると、マスク問題の背後に中国の深い闇の穴がポッカリと空いていることを認識させられる。

販売会社社長によると、中国で生産したマスクはすべて中国の国家応急備蓄物資のためだと言われ接収された。だが本来これは日本に輸出するために生産していたもので、それを全て接収されたのは腸《はらわた》が煮えくりかえる気持ちだ。しかし抗議しても通じる場所なのか、それが一番の問題だというのだ。

ここで私たちは中国が二〇一〇年につくった国防動員法を思い出すべきだ。国家有事の事態になった時、中国国内で操業する外国資本の企業も含めて全てが中国共産党政府の指示に従わなければならないと、同法は定めている。資材も機材も、会社の建物も土地も、持てるもの一切合切、中国政府の指示に従って供出しなければならない。無論対価は払うとされているが、実際はどうなのか、分からない。いずれにしてもマスク全てが接収されたのは同法の下では当然なのだ。それが中国という国である。

中国当局は、日本向けに日本企業が作ったマスクまで全て接収したうえで、それらを「中国の善意」として日本に贈っているのだ。日本人はそんなことも知らずに感謝して受け取り、親中派はこれこそ中国の友情であると歓迎し、中国を持ち上げる。

レアアースも医薬品も

二月二八日に来日した楊潔篪《ようけつち》共産党政治局員も「ウイルスとの戦いで、引き続き中国政府は日本政府を支持・支援する」と語っている。在京中国大使館のホームページでは、中国が日本にマスクなどを支援中との情報が紹介された。

武漢駐在の日本人を帰国させるために中国に向かったチャーター機は、その機内に、中国に渡すマスクや防護服などの医療品を積んでいた。中国側から要請があったという。帰国する日本人はいわば人質であろうか。いずれにしても全て日本政府は贈った。日本は中国を助けたのだが、いま「中国を助けた日本」が「中国に助けられる日本」に反転している。これも事実歪曲や捏造を得手とする中国のやり方と言うしかないだろう。

現在、マスクは無論、医療・医薬品は中国の強力な武器として活用されている。三月四日、新華社（中国の国営通信社）は社説で「中国は医薬品の輸出規制をすることも可能だ。その場合、米国はコロナウイルスの大海に沈むだろう」と恫喝した。

レアアースのことを思い出す。尖閣諸島の海で中国船が海上保安庁の船に体当たりし、中国人船長らの身柄を日本側が確保した時、中国は日本に対するレアアースの輸出制限に踏み切った。中国のレアアースに依存する日本にとって、産業の首を締め上げられるに等しい措置だった。今回はレアアースの代わりに医薬品だと中国は告げているのである。

中国の国営メディアの発信はまちがいなく中国政府の意思表示である。彼らの強気は中国が世界の医薬品生産の主力にのし上がって久しいという現実に由来する。医薬品の研究・開発においては米国が世界のトップ水準を保っているが、製薬業の主体を担う力はすでに中国に移っている。中国の医薬品市場は二〇一七年に一二三〇億ドル（約一三兆五〇〇〇億円）規模だったが、二〇二二年までに一七五〇億ドル（約一九兆二〇〇〇億円）規模に成長すると見られている。

他方、米国における薬の製造は下降線を辿る一方だ。多くの人の命を救ったペニシリンは米国が製造した最後の主要な医薬品となった。それ以降、米国は抗生物質の八〇～九〇％、鎮痛・解熱剤の七〇％、血栓症防止薬としてのヘパリンの四〇％などを中国に依存してきた。米国の消費者向け医薬品の主要成分の八〇％以上が主に中国からの輸入品だとする統計もある。

このような状況下では、中国は特定の医薬品輸出を止めたり、逆に加速したりすることで、相手国に甚大な被害を与えることができる。人命に関わるだけに、レアアースよりも切実な影響を及ぼす。それだけ中国はあらゆる闘いを有利に展開できる。

ウイルスが炙り出した日本

武漢ウイルスは中国の実像を抉り出してみせたが、わが国の姿の異常さも否応なく、明らかにされた。日本はおよそ国家とはいえない異常な国である。

例えば、安倍晋三総理の二〇二〇年三月一四日の記者会見では非常に奇妙な質問があった。インターネット事業者代表の岩上安身氏がこう尋ねた。

〈特措法に盛り込まれた非常《ママ》事態宣言。これが発令されたとき、私権が制限されるということですけれども、報道、それから、言論の自由、ここは担保されるのでしょうか。

また、総理は改憲に大変熱心でいらっしゃいますけれども、自民党改憲草案の中には9条の改憲と並んで緊急事態条項が盛り込まれております。今回の特措法の緊急事態宣言が一つの布石になって国民を慣らし、その後にこの緊急事態条項を導入するのではないかという懸念があります。これは大変強力な内容で、安倍独裁を可能にする

ような内容を含んでおります。その点について、是非お答え願いたいと思います〉

緊急事態宣言を発出したとして、「安倍独裁」に通ずる道など、一体どこにあるのか。日本の緊急事態宣言と他国の緊急事態宣言は似て非なるものだ。わが国では、政府ができるのは国民への要請と指示である。命令はできない。加えて要請や指示の主体は総理大臣ではなく各自治体の知事だ。知事による要請や指示は罰則を伴わず、拘束力もない。緊急事態宣言は「安倍独裁」とは全く関係がない。「安倍独裁」という強い言葉で問うのは、全く見当外れだったわけだ。

けれどもメディアはあたかも宣言が政権の独裁、独断専行、横暴な振る舞いにつながるような書き方をする。朝日新聞、毎日新聞、東京・中日新聞などはことさらにそのような印象を抱かせる記事を掲載している。

繰り返しなされるこの種の報道がボディブローのように効いて、国民世論を一定方向に、政府は腹黒い、横暴になり得るとの見方に、向かわせるのではないか。

憲法前文も九条も嘘

なぜこんなことになるのか。大東亜戦争への反省ではないだろうか。占領政策の後遺症とも言えるだろう。日本はかつて悪い戦争をした。従って政府も軍隊も自由にさせてはならない。手も足も縛って、政府には国として振る舞うことを許さないという不条理な日本否定の考えである。その元凶が憲法前文である。

「平和を愛する諸国民の公正と信義に信頼して、われらの安全と生存を保持しようと決意した」

前文を受けているのが九条二項である。

「陸海空軍その他の戦力は、これを保持しない。国の交戦権は、これを認めない」

日本という国は国民を守るために何もしてはならない。何かする資格もない。そういう意味だ。

では、何もしない政府が治める国の国民はどのようにして生き延びればよいのか。憲法は、こう言う。国際社会は真っ白な美しい所だ、どの国も侵略の「侵」の字も考えない、公正で信義に厚い国である。だから、日本人よ、国際社会を当てにせよ。国際社会に縋《すが》って命を預けよ、と言っている。

しかし国際社会はそのようなものでない。その証拠に、目の前に中国が存在するではないか。憲法前文も九条二項も壮大な虚構、嘘なのである。

日本国憲法はあくまでも中国を含む国際社会は正しく、日本国こそ邪な国だと嘘をついている。中国共産党は常に中国が正しいと嘘をつき、他国を恫喝する。悪いのは日本、正しいのは中国、という点で両者には通底するものがある。

だが、どんなに言い繕っても中国共産党の足下は脆い。ＳＡＲＳ問題を体験してもウイルスへの対処を学べなかったように、旧ソ連崩壊を研究しても、中国共産党は旧ソ連の間違いから学んでいない。

冷戦期、ソ連は柔軟性の全くないイデオロギーに凝り固まった体制の下、瀕死の統制経済、際限のない軍拡、維持しきれない広大な共産主義帝国を抱えていこうとした。

習近平体制の中国も構造的には同じだ。二〇一八年に習氏は〝終身皇帝〟となり、政敵を次々に追い落とし、強権政治体制を作った。旧ソ連と同じく非常に風通しの悪いイデオロギー国家となった。そのイデオロギーは習近平思想であり、中国はそれに凝り固まっている。旧ソ連と同じく、言論の自由も政治、信条の自由もない。国民監視はソ連よりも徹底している。逆らえば再教育であり収容所行きだ。

中国共産党の限界

こうしたことに中国の国民たちは少なからぬ不満を抱いている。経済成長がとまり、国民の実生活の水準が下がりつつあるいま、国民の不満は強まり中国共産党は危機の真っ只中だ。

それを乗り越えるには習氏の七年間の統治とはおよそ反対の政策を打ち出さなくてはならない。言論や表現の自由を広げ、中央集権を緩める。経済は国有企業中心から自由経済にシフトする。しかし、習氏には無理であろう。方向転換した途端に習氏は自由への渇望という中国人民による大地殻変動の中で失墜していかざるを得ない。

習氏の中国に味方する国は国際社会にはほとんど存在しない。中国を恐れるあまり中国に従う国でも、中国と共に歩みたいと自ら望む国は少ないだろう。中国のその国柄を是とする国は、ロシアや北朝鮮以外、ほとんど存在しないのである。国際社会に中国の友人はいないのである。中国は孤立しているのである。そのような中国共産党は、歴史の必然として敗退していかざるを得ないだろう。

他方、日本や米国は国民一人一人の判断が国の方針決定の基盤となる。一人一人の考え方はバラバラで、世論はまとまりにくく、政治システムとしては、民主主義は一党独裁とは対照的に効率的ではない。しかし、人間の幸福は自由を保障され、人権を尊重されるところから生まれる。自由と人権のない人間の一生が幸福であるはずがない。各人各様に考える幸福な人間集団、その考えに基づいてはじめて社会が動き国も動く。それが民主主義である。

中国共産党の圧政の下で苦しむ多くの人々、チベット人、ウイグル人、モンゴル人、その他圧政の下にある漢民族を含む多くの人々のことを考える時、だれも幸福にしない中国共産党の限界を私は見る。人を幸せにしない政府や国は、退場するしかないのである。

親中派の描く融和すべきよき隣人としての中国は幻なのである。

櫻井よしこ

親中派の嘘◎目次

装丁　神長文夫+柏田幸子
DTP製作　荒川典久
本文写真提供　言論テレビ
帯写真　産経新聞社

数字や肩書きなどは対談時のものです。
本書の元になったインターネット番組、言論テレビの放送日は各章末に記しています。

第1章　武漢ウイルスの教訓

細川昌彦×矢板明夫×櫻井よしこ

細川昌彦（ほそかわ・まさひこ）
中部大学特任教授。一九五五年生まれ。七七年東京大学法学部卒業、通商産業省入省。「東京国際映画祭」の企画立案、山形県警出向、貿易局安全保障貿易管理課長などを経て、九八年通商政策局米州課長、二〇〇二年貿易管理部長など通商交渉を最前線で担当した。〇二年ハーバード・ビジネス・スクールAMP修了。〇三年中部経済産業局長として「グレーター・ナゴヤ」構想を提唱。〇四年日本貿易振興機構ニューヨーク・センター所長。〇六年経済産業省退職。現在、中部大学特任教授。著書に『メガ・リージョンの攻防』（東洋経済新報社）、『暴走トランプと独裁の習近平に、どう立ち向かうか?』（光文社新書）など。

矢板明夫（やいた・あきお）
産経新聞台北支局長。一九七二年中国天津市生まれ。一五歳のときに残留孤児二世として日本に移り住む。一九九七年慶応義塾大学文学部卒業。同年松下政経塾に入塾（第一八期）。研究テーマはアジア外交。その後、中国社会科学院日本研究所特別研究員、南開大学非常勤講師などを経て、二〇〇二年中国社会科学院大学院博士課程修了後、産経新聞入社。さいたま総局などを経て、〇七年から中国総局（北京）特派員。一七年から外信部次長。二〇二〇年四月から現職。著書に『習近平の悲劇』（産経新聞出版）、『習近平　なぜ暴走するのか』（文春文庫）、『私たちは中国が世界で一番幸せな国だと思っていた』（石平氏との共著、ビジネス社）など。

武漢帰国者の半数は半導体技術者

櫻井　中国湖北省の武漢市で発生した新型コロナウイルスが私たちに示した問題について論じたいと思います。先に進む前に、このウイルスの呼称について少しこだわってみます。中国に様々な意味で配慮するあまり、世界保健機関（ＷＨＯ）から世界に情報を出すことが遅れました。明らかに中国政府の圧力が効いていたと思います。その結果、世界各国にコロナウイルスが拡散されていきつつあるのが現状です。

そうした中、ウイルスの正式名称がＣＯＶＩＤ−19と定められました。ほぼ同時に中国側がＣＯＶＩＤ−19は実は米軍が中国に持ち込んだ可能性があると主張し始めました。

あまりの白々しい嘘に日本人は苦笑するばかりですが、仮に中国側が右の嘘をずっと言い続ければ、ＣＯＶＩＤ−19発生の歴史は中国の思惑どおりに書き換えられてしまう可能性があります。歴史問題で「南京大虐殺」や「慰安婦強制連行（性奴隷）」という嘘を捏造された日本人としては放っておく気になれません。そこで私はこのウイルスを武漢ウイルスと呼ぶことにしました。

前置きが長くなりましたが、武漢ウイルス問題を通して、中国の国柄、体質が見え

細川昌彦

てきました。細川さんは独自の視点でこの問題を見ていらっしゃいます。

細川昌彦（以降、細川）　二〇二〇年一月二三日に中国は武漢市を閉鎖しました。そのため、日本政府はチャーター機で中国の武漢から数百人の日本人を連れ帰りましたが、その内訳から見えてくるものがありました。

武漢は自動車産業の集積地で、日本の自動車メーカーが進出しているので武漢帰国者の半分くらいは自動車メーカーの方々でした。が、残りの方々を子細に見ると、実は半導体メーカーの方々が多数いらっしゃったのです。

これは日本の中国との向き合い方を考えさせられる出来事ではないかと、こういう視点で見ています。

櫻井よしこ

櫻井　武漢は自動車産業の集積地という報道は多くありましたが、半導体メーカーが多数進出していることはあまり報じられていませんね。

矢板明夫（以降、矢板）　問題はそれだけでもないのです。武漢は地図で見ると中国の真ん中にあり、周りに山がたくさんあります。その地形から、戦略的に中国の最も重要な拠点として、毛沢東時代から最も重要な産業を武漢周辺に置いてきたのです。半導体もそうですが、軍需産業も非常に多い。武漢ウイルスで話題になっているP４実験室（中国科学院武漢ウイルス研究所）は生物兵器を研究している研究所だとされていますが、そういう重要なものを全部、この奥地に置いているのです。

矢板明夫

というのは、いざ戦争になり、例えばロシアという敵が攻めて来た時に、一番空爆が届かないところだからです。毛沢東も鄧小平も武漢に軍の指揮所を置いていました。そういう意味で、武漢は中国にとって最も軍事的にも重要ですし、軍事関連産業もたくさん集まっている場所です。

櫻井　軍事的にも重要な武漢に半導体業界の日本人技術者がたくさんいた。これをどう捉えればいいですか？

細川　まず、中国がいま何をしようとしているかを知ることが一番大事です。「中国製造2025」という二〇一五年に習近平中国国家主席が発表した産業政策があります。

櫻井　米国が危機感を強める一つの大きな

きっかけとなった中国の長期国家戦略が「中国製造２０２５」ですね。その中で掲げられている重点分野は次の一〇項目です。

1　次世代情報技術（半導体、次世代通信規格「５Ｇ」）
2　高度なデジタル制御の工作機械・ロボット
3　航空・宇宙設備（大型航空機、有人宇宙飛行）
4　海洋エンジニアリング、ハイテク船舶
5　先端的鉄道設備
6　省エネ・新エネ自動車
7　電力設備（大型水力発電、原子力発電）
8　農業用機材（大型トラクター）
9　新素材（超電導素材、ナノ素材）
10　バイオ医薬・高性能医療機械

半導体の自給率を高める中国

細川　中国はこれから戦略的に自給率を高めていく、自分たちが世界の製造の先頭を走るという目標を立てて「中国製造2025」を策定し、その中で櫻井さんが示したような重点分野としての10大産業を並べました。まっ先に掲げられているのが半導体です。「中国製造2025」の柱の一つが半導体なのです。そしてその中核拠点が実は武漢なのです。中国はいま、各地に半導体工場をものすごい勢いで作ろうとしています。

いまアメリカは、中国が次世代の通信規格「5G」を支配しようとしているとして、ファーウェイをはじめ、中国の動きを非常に問題にしていますね。その5Gを、部品として半導体が支えているわけです。しかも軍事産業の基盤を成すのも半導体です。

中国は現在、半導体の世界最大の消費国です。ですが、実は自給できていません。海外から輸入しています。彼らは半導体の世界最大の輸入国なので、これでは構造的に弱い。だからアメリカに半導体をストップされると自分たちは干上がってしまうと危機感を持っていて、半導体の自給率を高めていこうとしているのです。

櫻井　「中国製造2025」の第一の目標に半導体の自給率向上を置いた。それだけ中国側の危機意識は強いということですね。

細川　そうです。中国は二〇二五年に半導体の自給率を七〇%にしようとしています。

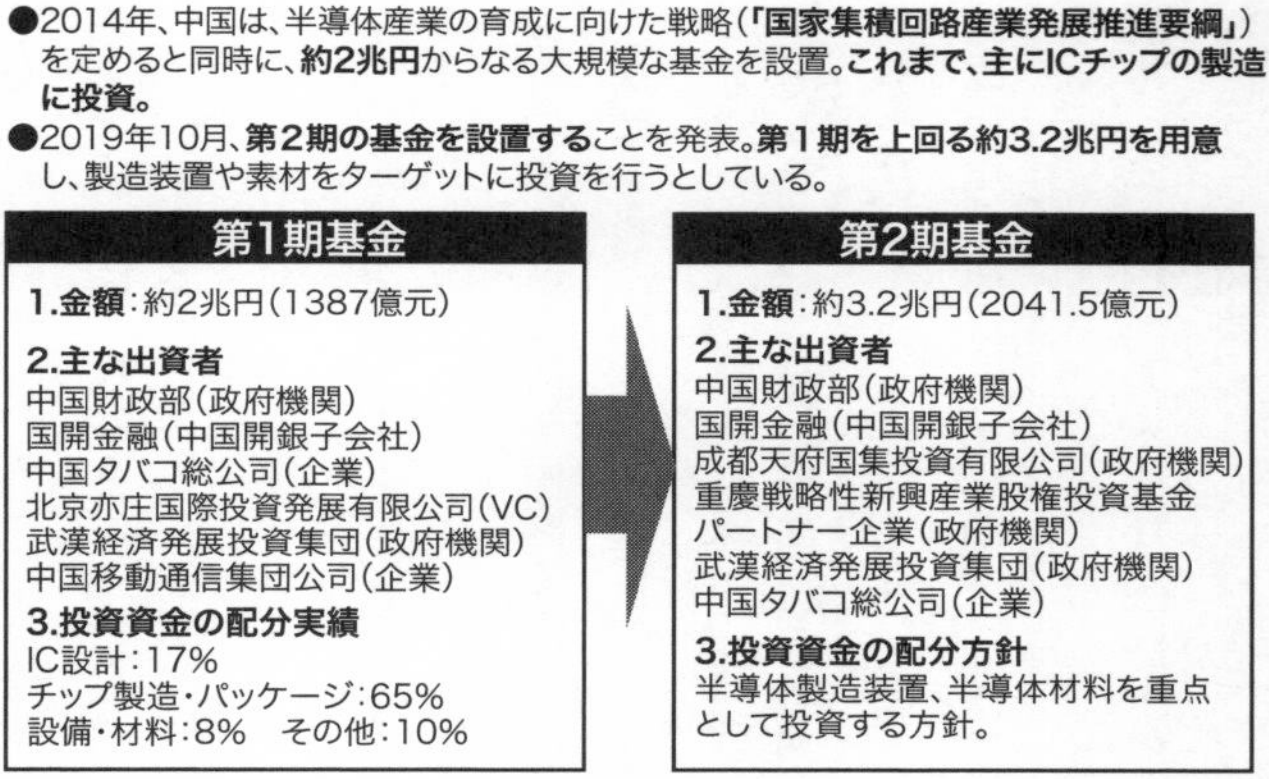
●2014年、中国は、半導体産業の育成に向けた戦略（**「国家集積回路産業発展推進要綱」**）を定めると同時に、**約2兆円**からなる大規模な基金を設置。**これまで、主にICチップの製造に投資。**
●2019年10月、**第２期の基金を設置する**ことを発表。**第１期を上回る約3.2兆円を用意**し、製造装置や素材をターゲットに投資を行うとしている。
第1期基金
1.金額：約2兆円（1387億元）
2.主な出資者
中国財政部（政府機関）
国開金融（中国開銀子会社）
中国タバコ総公司（企業）
北京亦庄国際投資発展有限公司（VC）
武漢経済発展投資集団（政府機関）
中国移動通信集団公司（企業）
3.投資資金の配分実績
IC設計：17%
チップ製造・パッケージ：65%
設備・材料：8%　その他：10%
第2期基金
1.金額：約3.2兆円（2041.5億元）
2.主な出資者
中国財政部（政府機関）
国開金融（中国開銀子会社）
成都天府国集投資有限公司（政府機関）
重慶戦略性新興産業股権投資基金
パートナー企業（政府機関）
武漢経済発展投資集団（政府機関）
中国タバコ総公司（企業）
3.投資資金の配分方針
半導体製造装置、半導体材料を重点として投資する方針。

図１　中国の半導体産業育成基金（経産省資料より作成）

いま、だいたい一五％くらいですから、ものすごい勢いで各地に工場を作っているわけです。

この中国の半導体産業育成計画では、「第1期基金」というものが二〇一四年からスタートしていて、これまでに二兆円のお金をつぎ込んでいます（図1）。それによって半導体チップを作る工場をあちこちに作っている。海外の技術をどんどん導入している。中には不公正な手段もあると思います。

櫻井　中にはというよりも、かなりあるのでしょう（笑）。

細川　かなりあると思います。それはアメリカも問題にしているわけです。

あるいはいま、台湾から技術者を三〇〇〇人規模で引き抜いたりしていますし、サムスンの中国工場からは技術をコピーしたりしている。台湾、韓国の「人と技術」をどんどん不公正な手段も含めて入手し、二兆円をつぎ込んで半導体産業を育成しているのが、中国の今なのです。

二〇一九年一〇月にはこの半導体育成基金の「第2期基金」を発表しましたが、これは三・二兆円です。この「第2期基金」で何をしようとしているのか。半導体を作るための製造装置を中国で作れるようにしようという計画です。

なぜなら、中国はいまは半導体製造装置を日本やヨーロッパ、アメリカなど海外のメーカーに依存しているからです。いくら半導体工場を作っても、製造装置を海外に依存していたら弱い。だから半導体の工場を作るだけでなく、さらに源流に遡って、三・二兆円をかけて、半導体製造装置を自国で作れるようにしようという計画です。

ほぼ一〇〇%政府の資金で半導体の工場建設をしているのが、いま中国で起こっていることなのです。

櫻井　つまり、アメリカは目先の米中貿易戦争をしているのではない。次世代の通信規格5Gを問題視して、最先端の技術面で中国に席巻されるような世界になってはならないと考えている。ファーウェイに対する非常に強い措置も、そのような事態に陥らないようにするためということですね。

細川　そうです。二〇一八年に中国通信大手のＺＴＥという会社を、アメリカが不公正だと制裁しましたね。その制裁の手段は、アメリカのインテルやクアルコムの半導体をＺＴＥに売るなというものでした。それでＺＴＥはお手上げになって、事業を継続できなかったのです。これに懲りて、中国は半導体を自給しようとしている。

櫻井　ＺＴＥは事実上、もう通信機器を作れなくなりました。米国の対中制裁策の効果は凄まじい。

　中国が愕然としたのも当然でしょう。細川さんが指摘なさったように、中国の半導体自給率は一五％くらいしかない。しかも半導体の製造装置そのものがない。厳しい現実を突きつけられた彼らは遮二無二自前生産に乗り出した。中国共産党は好きではありませんが、彼らのガッツはやはり凄いと思います。ただしその手法は、どう見ても容認できるものではありませんね。

「制網権」戦争が始まっている

矢板　中国がなぜこの5Gを、すべて自前でやろうとしているか。それはアメリカとの覇権争いをしようとしているからです。習近平政権のスローガンは、「中華民族の偉大なる復興」であり、アメリカを倒して世界一位になることですからね。

様々な分野で中国はアメリカと競争しています。例えば「制空権」「制海権」というものがありますね。戦争の時には空や海での軍事的支配権が非常に重要で、それによって戦闘の優位が決まります。いま、飛行機や船の世界では、アメリカが圧倒的に中国をリードしていて、簡単に追いつかない状況です。中国は宇宙開発も一生懸命行っていますが、トランプ米大統領は宇宙軍を作りました。宇宙でもアメリカにはなかなか勝てない。

そこで中国が唯一勝てるのが、実はインターネットの世界です。最近は、中国が「制網権」、つまりインターネットを押さえるとしています。これからの戦争は、「制空権」「制海権」「制宇宙権」よりも、「制網権」が重要だからです。戦争が始まる前に相手の軍のネットワークを全部壊してしまえば、戦争に勝ったようなものと言えます。

その「制網権」を取るために中国は、中国仕様の５Ｇを世界中の国に売りつけてインフラ整備をし、主導権を取ろうとしています。これは他の軍事産業よりかなり安上がりで、しかも効果が上がる。そういう意味で近年、中国が５Ｇにものすごく力を入れています。

櫻井　「制網権」を制したものが世界を制する。「５Ｇ」の意味することは通信手段という分野にはとどまらない。人体に例えると、脳神経と体中の神経細胞を全部つなげたようなものが５Ｇに当たるわけで、これがなければ人間が動けないように、社会も国家も機能しない。それほど重要な機能を５Ｇが果たすという捉え方でよいですか。

細川　そうですね。ご指摘の通り、単純な通信だけではなく、交通、電力など社会インフラを全部これでコントロールしていく。究極は、いま矢板さんが指摘されたように軍事技術に直結する。これはいままでの通信以上に戦略的に意味があるということです。

櫻井　私たちは、いま中国が「制網権」を握り、覇権を握ることを非常に恐れています。今回の武漢ウイルスのコントロールの仕方、情報の出し方、隠し方に表れている中国共産党の体質に脅威を感じているのです。情報隠蔽、人権無視などのとんでもないことを中国は平気でします。私たちが許容できないこんなことをする国柄の中国が、私たちの生活全般を動かすネットを支配するようになるのが恐ろしいということです。

中国が感染者数を減少させる理由

櫻井　ここで、中国がいま行っていることについて具体的に話してみましょうか。

矢板　武漢ウイルスは二〇一九年一二月八日に最初の感染が確認されましたが、そこから一月二三日までほぼ四五日間、中国は情報隠蔽を行い、ほとんど何もしていなかったのです。それによって感染が世界中に拡大しました。

中国は一月二三日に隠しきれなくなって、一度情報を出したのです。でも、最近になって再び情報を隠し始めた。嘘をつき始めたのですよ。なぜなら、いま中国は、生産を再開できずに経済活動が止まってしまっては困るからです。工場に労働者が戻ってこないと困る。また、農作業、種まきに労働者がいないのも困る。

そのため二月一七日から、中国政府が発表する感染者数は、きれいに減っているのです。とうとう今日（二〇年二月二八日）発表の新規の感染者数は三〇〇人台で、韓国より少なくなってしまいました。

櫻井　それはすごくおかしい。公式発表ですでに八万人の感染者がいる中国で、どうして新規の感染者数が三〇〇人なのですか。

矢板　検査しなければ感染者数が分かりませんからね。病院に対して、例えば今日は一〇人しか検査をしてはいけないとして、どんどん検査を後回しにしていくと、新たな感染者は少なくなります。いま中国は農民工を無料で特別列車に乗せ、強引に地方から工場に戻していますが、生産を再開し、密集して労働すれば、当然また感染が始まるはずです。しかし、中国政府は、その数字を隠す。

中国当局が発表した中国疾病管理予防センター（CCDC）の調査では、致死率を二・三%としていますので（二〇年二月一七日時点）、恐らく習近平政権は、一〇〇人全員がウイルスに罹患したとしても二人しか死なない、という発想なのです。

櫻井　一〇〇万人の労働者を生産現場に帰して、彼らが生産ラインについて働くとします。その中に感染者がいたと仮定したらウイルスは広がってしまう。半分が感染したとして、致死率二・三%なら、一万人規模の死者が出かねない。同様に五〇〇〇万人を帰したら五万人が、一〇〇〇万人なら一〇万人が死ぬ計算です。

矢板　沿海部の労働者は全部で四億人とも五億人とも言われていますから、そうすると死亡者は一〇〇〇万人規模の数字になるのですが、それは仕方がないと独裁政権は考えてしまうのですよ。それよりも経済が止まるのが困る。しかし、自分たち自身はやはり感染が怖いから、全人代（全国人民代表大会）は延期する。自分のことしか考えていない。それが中国共産党の指導者たちです。

細川　先ほどの5Gに関連しても中国の価値観が問題なのです。5Gは通信の規格で、情報を送受信する手段であって、重要なのはそこに載せる情報、データ、それを誰が押さえるのかです。データを押さえると、どの国もコントロールできてしまいます。

中国では二〇一七年に「国家情報法」という法律ができましたね。企業も個人も、求められたら、共産党政権に情報を提供しなければならないという法律です。だからファーウェイのCEOがいくら共産党には情報を提供しないと言っても、この法律の下ではいつ、どういう形でファーウェイが取得したデータが北京の共産党政権に押さえられるか分からない。この構造の中で、5Gが広がっていることが問題なのです。

櫻井　非常に恐ろしいことですね。

矢板　恐ろしいと言えば、いま習近平主席はデジタル人民元に力を入れています。仮想通貨のようなものを発行し、これで世界のデータとお金の流れを中国が把握しよう

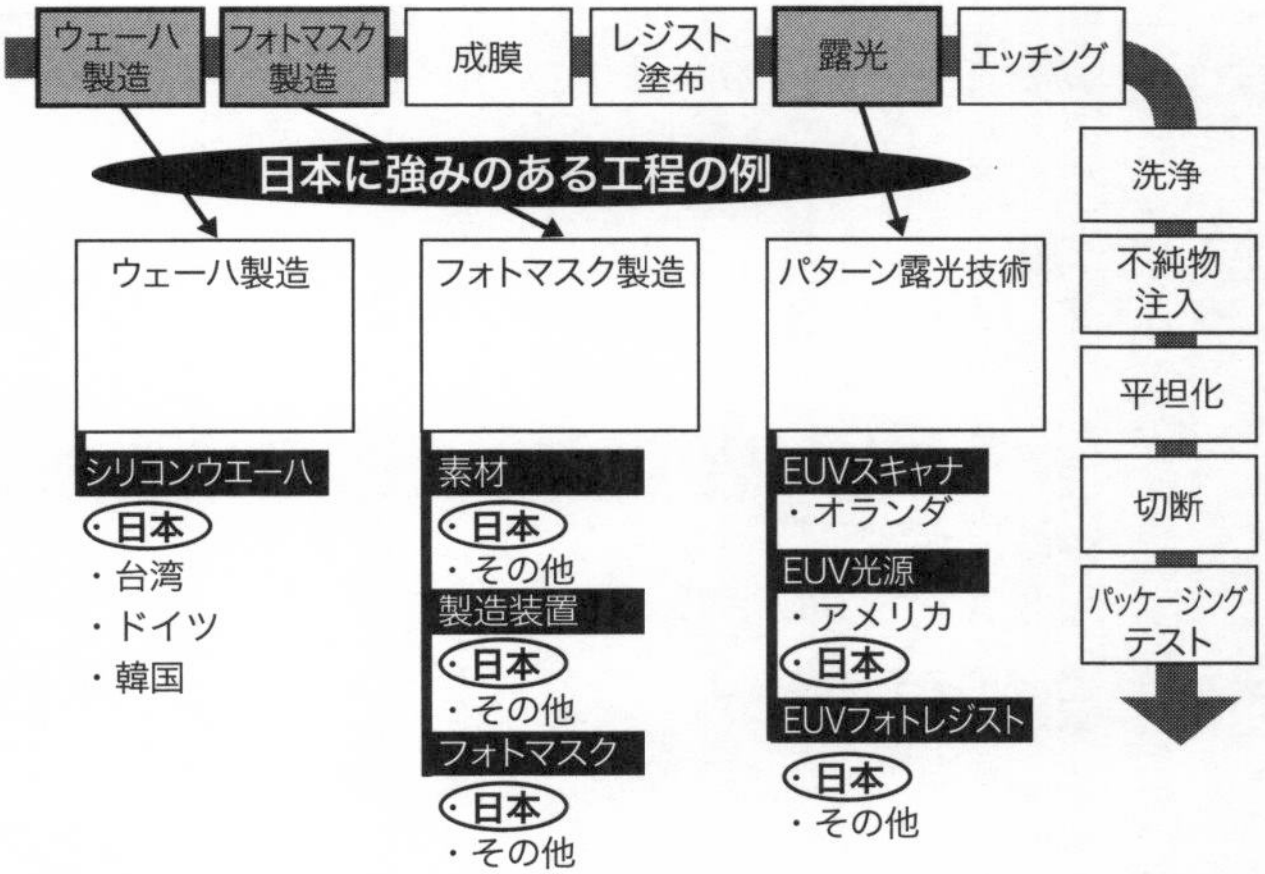

図２　サプライチェーン分析（経産省資料より作成）

としている。アメリカに勝って、中国が世界に君臨する。そういう構想の下で中国は着々と様々なことを進めているというのが現実です。

中国市場は世界最大のお客さん

櫻井　だからこそ、いま細川さんが問題提起しているこの半導体の問題を真剣に考える必要があります。中国の半導体製造に日本や諸外国がどのくらい関わっているのか。

細川　半導体の製造プロセスを見ると非常におもしろい。「サプライチェーン分析（半導体製造技術の例）」（図２）は製造工程を描いていますが、この工程ごとに製造装置が全部違います。また、その製造装置ごとに、どの国のどのメーカーが強いかが全部違うのです。そしてよく見ると、その多くは日本企業が押さえているのですよ。固有名詞を書くのは避けましたが、丸をつけて「日本」と書いている部分が日本企業です。

櫻井　どのくらいの数の日本企業が関係しているのですか？

細川　企業数で言えば三ケタまではいきません。そんなに数はありませんが、逆に少数の二、三の会社が供給を止めてしまえば、もう作れなくなるという構造になっています。

例えば、図2の中に「ＥＵＶスキャナ」とあり、「オランダ」とあります。ＥＵＶ（極端紫外線）露光というのは最先端の技術ですが、これは独占的にＡＳＭＬというオランダのメーカーが作っています。

このオランダのメーカーがＥＵＶ露光装置を中国に売ろうとしたのに対し、アメリカがストップをかけました。これを売られると中国に最先端の半導体を作られてしまうので、アメリカが強烈に圧力をかけてストップさせたという事例が最近起こっています。

そのような中で、日本企業が中国にどこまで協力をしていくか。いま、いちばん微妙なタイミングだと思います。

先ほど三・二兆円の基金を中国が設置すると述べましたが、そのように中国はお金をかけて、ものすごい勢いで工場を作っています。だから半導体製造装置のメーカーからすれば、中国はものすごくおいしいお客さんです。

櫻井　ビジネスとしてはね。

細川　中国市場は製造装置メーカーにとっていま、世界最大のお客さん、マーケットなのです。これほどのビジネスチャンスはないわけで、それが普通の経営者、商売人としての感覚だとは思います。そこはある程度はやむを得ない。ただし問題は、どの程度のレベルまで製造に協力するか、です。この見極めがとても大事になってきます。

最先端の製造装置を供給してしまうと、先ほどのＡＳＭＬというオランダ企業の例のように、アメリカが利敵行為とみなして、いつ何時ストップをかけて来るかしれない。いまアメリカがそういう目で日本を見ているという視点が必要です。

中国仕様のココムができる

矢板　本来は、アメリカではなく、日本政府が国内でちゃんと法律を作って、そのような技術流出は止めなくてはいけないのです。いまは、アメリカが試験監督みたいに、日本企業やヨーロッパの企業までチェックしている状態です。

企業というのは、実際はお金さえ儲けることができればいいわけです。技術の流出は痛いですが、それを上回る経済的な利益があれば我慢してしまう。私が北京特派員として駐在していた時に、新幹線の問題がありました。中国が作る「新幹線」(高速鉄道)は、かなり日本の技術を盗んでいます。それどころか、日本に協力してもらったにもかかわらず、それを少しいじって、中国は特許まで申請してしまうわけです。完全に泥棒なのですよ。

でも、当時、日本の企業側に「こんなものを盗まれていますよ。どう思いますか」と聞いたら、「重大な関心を持って見守っています」としか言わない。一切批判をしない。中国の高速鉄道の利益がたくさんあるからです。ここで中国を批判すれば、商売ができなくなるから、技術を盗まれても我慢するしかないというのが現状なのです。国も後ろでサポートしない。

いま、アメリカのトランプ大統領が中国との米中貿易戦争で、いわゆる知的財産権をうるさく言い、中国もかなり約束させられている形ですが、本当はこれを日本がやらなくてはいけなかったのですよ。こういうことを含めて、やはり日本政府はもう少し前に出た方がいい。そして日本の国会が輸出に関する法律を作るべきではないかと思います。

細川　いま、アメリカとの関係もあって、実は水面下で動いているのです。かつて冷戦時代に、ココム（ＣＯＣＯＭ＝対共産圏輸出統制委員会）があり、日本も加盟していましたね。ココムの協定により、共産圏に対する輸出規制がされていたわけですが、一九八七年に東芝機械ココム違反事件が発覚します。日本から輸出した工作機械がソ連の潜水艦のスクリュー音を消すのに貢献したとアメリカから非難されました。

櫻井　日本の国内法では、外為法違反の疑いで同社の幹部社員二人が逮捕され、東芝機械の社長が辞任しましたね。親会社である東芝の社長、会長も辞任しました。アメリカの怒りは東芝製品を輸入禁止にするなどの措置を取るほど凄まじかった。

細川　そのココムは冷戦終結で解体されました。そして冷戦後の枠組みは、北朝鮮やイランなど危ない国に対して、軍事に使われるかどうかをチェックして輸出管理を行うという方法でやってきました。この間、韓国との間で輸出管理の問題がありましたね。

櫻井　韓国が戦略物資の密輸出をしていたことから、日本が輸出管理を強化して、韓国をホワイト国から除外し、他の国と同等にしました。

細川　そのような輸出管理を冷戦後の一九九〇年から今日まで、約三〇年間行ってきたわけです。これをまた、衣替えしようとしているのがいまの状況です。冷戦時のココムから、ポスト冷戦で行ってきた輸出管理があり、そして今度はそれを中国仕様にする。これは外交上、「対中」措置だとは決して言えないので、そうは言いませんが、念頭にあるのは中国です。中国を念頭に置きながら、かつてのココムのようなものができないかということですね。この輸出管理の作り替えについて、日米、そしてヨーロッパも入れて議論を、いま進めています。

「中国製造2025」は軍事のため

櫻井　軍事、民生の両方に利用可能なものはどうするのですか？

細川　いまは、両方に利用可能なものを輸出する時に、軍事に使われる時はダメ、民

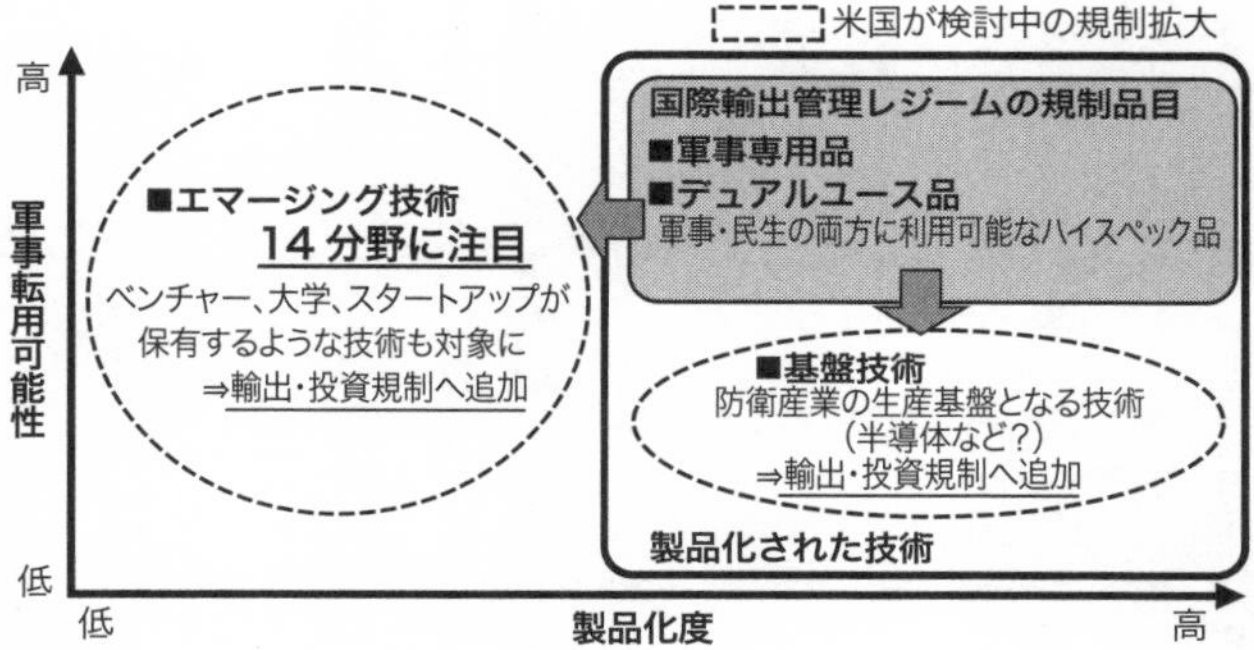

図３　米国が検討中の規制拡大分野（経産省資料より作成）

生用だったらＯＫだというふうにしています。

しかし、いま、中国で起こっていることは「軍と民の融合」なのです。先ほどの「中国製造２０２５」ではその目的として、「軍民融合」を明確に打ち出しています。要するにあの産業政策の目的は、単に産業の競争力を世界最先端にするだけでなく、軍事技術の高度化のために、軍と民を融合させるということなのです。

櫻井　「中国製造２０２５」はただの産業政策ではなく軍事のためという事実を、平和ボケ気味の日本人は記憶しておかなければなりませんね。

細川　そうです。そのような目的を掲げる中国に対して、これまでのような「民間に使うからＯＫ」という輸出管理では意味がない。相手が軍民融合しているのですからね。

だから、完全に思想を変えなくてはなりません。中国に渡してしまうと危ないものを選び出して輸出管理をする。その一つが半導体の技術です。

櫻井　図３に「基盤技術」とありますね。

細川　これは防衛産業の生産基盤になる技術ということで、その中でアメリカが特に重視しているのが半導体です。

「国防権限法」というアメリカの国防予算の大枠を決めるための法律があります。その国防権限法の二〇二〇会計年度の中に次のことが明記されています。対中国で安全保障上、戦略的に考えなければいけない産業は二つあり、一つは半導体、もう一つはレアアースだと。レアアースは中国に依存しているから、この中国依存をいかに脱却するか。半導体は逆に中国に依存させていて、彼らはこれから脱却しようとしているから、それをさせてはならない。このように攻めと守りの両面をアメリカは法律に明記しています。

これほどいまアメリカは半導体に注目していて、それを支えるのが製造装置です。

逆に産業界からすれば、むやみやたらに抑えられては困ると。ビジネスと安全保障との、まさにせめぎ合いがいま、アメリカでも起こっています。日本もそうでしょう。

すでに経済と安全保障は一体化

櫻井　産業界、政府、そして私たち国民も含めて、日本人の発想から安全保障が全く抜け落ちています。それが最先端技術の重要性についての認識の甘さにつながっています。安全は誰かが担保してくれる。自分は何もしなくても、安全は当たり前のこととして、供与されると考えている。矢板さん、日本人のこの発想をどう見ていますか？

矢板　日本は、一九七二年に田中角栄首相が訪中し、日中国交正常化を行いました。その後、田中首相自身が中国が戦後補償、賠償金を求めなかったことに感謝すべきだと述べています。これは中国のペースにまんまと乗せられていて、日本は、中国のその後の改革開放、経済発展を支えなくてはいけない、となりました。

　鄧小平の改革開放が始まると、ほぼ中国に言われるまま、日本は資金と技術を全部提供しています。鄧小平の中国は、この時まだ猫を被っていて、韜光養晦《とうこうようかい》で野心を隠す路線を取りました。「これから西側社会に入っていきますよ、中国も民主化しますよ」というような雰囲気を醸し出していたわけです。だから、日本が中国を助けるのは非常にいいことだと、日本の産業界も思っていた時代が長く続きました。

しかし、習近平政権がスタートしてからは、完全にいままでの中国ではなくなりました。アメリカと闘って世界のトップになろうとしているわけで、日米から見ればもう完全に敵になったわけです。でも、全く日本はその中国の変化に気がつかないままで、まだ中国に言われるがまま、何でも協力してしまう状況がいまも続いています。

櫻井　日本が中国の意図に気づかず、歴史の加害者意識に縛られて、安全保障上とても危ないことになると考えもせずに、中国に協力を続ける。他方アメリカはここ数年で非常に大きく中国政策を変えています。

細川　トランプ政権になる前から、アメリカの中国との向き合い方は大きく変化しています。二〇一〇年を過ぎてから、オバマ政権の後半、警戒感が議会を中心にものすごく広がっていて、半導体についても、相当警戒する報告書が作られています。

ですから実はアメリカの中国に対する警戒は、トランプ大統領というよりも、もっと根っこの深いところ、ワシントンの議会筋、シンクタンク、あるいは諜報機関、情報機関で起こっています。私は「オールワシントン」という言葉を使っていますが、このオールワシントンが一体となって、対中警戒でいま進んでいます。トランプ大統領の表面的な中国との貿易に関する合意は本質的には意味がなく、もっと根深い対中警戒なのです。その状況の中で、いまファーウェイの問題が顕在化したわけです。

重要なのは、いまの時代はまさに矢板さんが指摘されたように、安全保障問題が色濃く出てきているということです。経済と安全保障が一体化した世界にもう突入してきているのです。それなのに日本企業の経営者が、かつての経済と安全保障が別々だった世界、これでビジネスがやれていた時代と同じメンタリティーでいると全く見誤る。いまや経済と安全保障は一体化しているとの認識を経営者自身が持つべきでしょう。

ココム事件のような虎の尾を踏むことが起こり得る環境にいまあるのですから、まずは日本企業の経営者は目覚めなくてはいけないと思います。

〝新華社〟の指示で動いた日本

櫻井　日本とアメリカとの関係があのココム事件のような状況になると、これは救いようがありません。なぜならば、日本は世界第三位の経済大国ではありますが、安全保障は全面的にアメリカに頼っているからです。アメリカなしには中国から食いつぶされてしまうわけで、私たちが依って立つのは中国かアメリカかと問われれば、アメリカしかありません。でも、日本にはその自覚が全くない。日本の戦後の外交政策、安全保障政策の柱は、一つは日米安全保障条約、もう一つは国連中心主義だったわけですが、日本が頼ってきた柱が実質的に変化してしまった。

矢板　そうですね。日本には「国連中心主義」があり、国連がみんなで決めたことを平和的に日本は守っていればいい、そちらの方が正しい道だという論調がずっとありました。ただし、いまの国連機関には、中国にほとんど牛耳られているような組織がたくさんあるわけですね。今回のＷＨＯ（世界保健機関）もそうなのです。ＷＨＯの武漢ウイルスへの対応はまるで新華社（中国の国営通信社）のようで、完全に中国の出先機関になってしまったわけです。他にもＩＣＰＯ（国際刑事警察機構）の前総裁もそうでしたが、中国がトップを務めている国連の関連組織がたくさんあります。

だから国連が決めたことに日本が従おうとすると、それは実は中国の味方をすることになってしまいます。アメリカは逆にいま、国連人権理事会からも離脱するなど、どんどん脱国連の方向に行っていますね。日本は、いま世界で何が起きているのかをきちんと見極める時期に来ています。

櫻井　中国の国連支配を端的に言えば、まさに「国連の中国化」なのです。中国は明らかに中国の価値観に基づく世界秩序の構築を目指しています。国際法も中国式に解釈する。国連の委員会という委員会に中国人を送り込んで中国に有利な状況を作る。そのために中国は優秀な人材を送り込み、長年その人物を張りつけておきます。日本のように国連職員が二～三年で交替することはありません。

ＷＨＯのテドロス事務局長は中国の代理人と言われても仕方がなく、ＷＨＯは中国の意のままに動く専門機関になってしまいました。国連には一五の専門機関がありますが、うち四機関のトップは中国人です。トップが中国人でなくてもＷＨＯのテドロス氏のようなケースもあり、国連の中国化はひどく進んでいます。それが武漢ウイルス問題で非常に分かりやすく出てしまいましたね。

矢板　一月二三日に武漢ウイルスはかなり大変な状況になっていて、ＷＨＯが緊急会合を行いました。その時、中国からすれば、緊急事態宣言が出されると困るわけで、一生懸命に根回しをして、それを見送ったのです。

その見送った理由の一つは、ヒトからヒトへの感染は限定的というもの。これはもう真っ赤な嘘ですよ。中国の嘘をＷＨＯが完全に信じたのは確かです。ＷＨＯが緊急事態宣言を見送ったがために、日本はその時点で何もしなかったのです。

結局、ＷＨＯは一月三一日になって、もう一度緊急会合を開き、ようやく緊急事態宣言を出しました。それを見て日本は二月一日に、ようやく中国湖北省からの流入（同省滞在歴のある外国人）を止めたのです。これで日本は完全に一週間遅れました。

いまはＷＨＯを信じて従った国は、日本や韓国、イタリアなど、みんな酷い目にあっています。ＷＨＯの言うことを聞かなかった国は、アメリカやオーストラリア、台湾などで、素早く中国本土からの入国禁止措置を取っていますね。

櫻井　ＷＨＯの言うことを聞かないというのは、中国の言うことを信じないというのと同義ですね。それが北朝鮮であり、ロシアであり、アメリカであった。北朝鮮もロシアも中国には愛憎相半ばする気持ちでしょう。いやいや、愛など実際にはないかもしれませんね。いずれにしても長年のつき合いから中国のことはよく知っている。だから金輪際信じはしないということなんでしょう。

矢板　北朝鮮もロシアも、まったく信用していないですね。中国は信用できない、Ｗ

HOは信用できないと、分かっている国はちゃんと早く対応して、いまのところは、感染が少ない。日本もこれでようやく分かったと思いますが、WHOは新華社と一緒ですから、新華社の指示で動いていたらダメだということです。

キーワードは部分的分離

櫻井　細川さんが先ほど仰ったアメリカの動きは、中国をどう見るかということそのものです。その感覚が日本にはありませんね。

細川　ありません。これから先、日本の経営者は、自分の事業をもう一度、棚卸ししなければいけません。アメリカがいまやろうとしているのは、部分的な分離、ディカップリングなのです。

櫻井　ディカップリングを少し説明しておきます。かつてアメリカとソ連が対立していた時は、お互いに違う経済圏だったので切り離す必要もありませんでした。一方、いま中国とは、資本も投下し、技術も共有していて、私たちの経済と密接に組み合わさっています。別々の経済圏ならパッと切り離せるけれども、縦糸も横糸も織り込まれている状態ですから、切り離そうとするとお互いに血が流れます。それでも、いまアメリカが中国との基本的経済関係を切り離そうとしているのがディカップリングです。でも、これは相当難しいですよね。

細川　全面的なディカップリングはできないと思います。いまワシントンで語られているのは、パーシャル・ディスエンゲージメント（Partial Disengagement＝部分的分離）。これがいまキーワードになっています。

安全保障の世界で本当に機微な、センシティブな分野を特定化していって、そこだけは分離するということです。例えば5Gや半導体の最先端、量子コンピュータの技術などもそうです。こういうものをいくつかリストアップし、この分野はディスエンゲージメント、分離する。日本企業も自らの事業分野の中で、分離する分野に入るものを見極める必要があります。

櫻井　これは難しい。技術的に難しいと同時に、どこで利潤追求に線を引くかということです。経済構造の基本にかかってきますから。

細川　ここの見極めがものすごく大事になってくるのですよ。見極めるためには、アメリカでどんな動きになっているかの情報を取る。また、安全保障の視点で見る人間を社内に置いて、事業分野を棚卸ししていく。この問題に関するセンスがある人間が扱うようにしていかなければいけない。そうでないと企業の存立にかかわるという危機感が必要ではないかと思います。

櫻井　日本企業は果たしてこのような危機感を持てるのでしょうか？　危機感を抱いたとして、経営方針などの根本的見直しに踏み切ることができるでしょうか。また、技術者を次から次に中国に引き抜かれたり、知的財産を中国に盗まれたりもしていますが、こうした面についても是正していこうという動きになるでしょうか。先ほどの矢板さんの新幹線についての発言もありました。

矢板　日本は難しいでしょうね。でも台湾は例えば中国と対決姿勢がある陳水扁政権と蔡英文政権は、中国への技術の輸出はかなり気にしていて、いろいろな措置を取っています。でも国民党の馬英九政権は、親中的になり、その期間に台湾の技術が流出していたという状況がありました。いまの蔡英文政権は、それを清算しているわけです。

台湾は基本的に中国とまだ戦争状態にあり、戦争は終わっていないので、技術が中国に流出すると、そのままそれが武器になって台湾を攻めることになります。だから、台湾はかなり厳しくやっていますが、中国がかなり巧妙な手口を使ってくるのです。

例えば、中国は台湾企業から直接、技術を買えませんが、海外の資金を使ってこの企業の子会社の株の半分を買い、その経営権を手に入れる。そしてこの子会社を通じて親会社から技術をもらう。このような巧妙な手法を使っています。それを台湾の警察当局が一生懸命に探しています。それに比べて日本は全く何もやっていない。

中国には「一〇〇〇人計画」というものがあります。これは「中国製造2025」と関連していて、世界中の優れた研究者、技術者を中国に呼ぼうというものです。条件は、五五歳以下で国籍を問わないというもの。それによって大量の優秀な人が中国に呼ばれるわけです。

私が聞いた話では、この対象者は中国に着いたらまず、一〇〇万元、日本円にすると一五〇〇万円くらい、一時金で契約金をもらう。それから年収はもちろん、家族の生活、子供の教育まで、全部中国が面倒をみる。そうやって優秀な人材をたくさん中国に呼んでいるのです。アメリカはもう二、三年前からこれをダメだとし、「一〇〇〇人計画」リストに挙がっている人を逮捕したり、アメリカの研究機関から外したりしています。それに対して日本は全く何もしていない。

習近平国賓来日と「注文外交」

櫻井　日本は、そういう意味で無防備と言っていいですね。優秀な技術者が定年退職すると、中国がリクルートに来る。現役も誘われる。リニア新幹線の技術者が集団で引き抜かれたという情報もあります。そうしたことを防ぐ術《すべ》を、企業も国ももっと考え、厳しく対処しなければいけないでしょうが、本当に無防備です。

日中間には多くの問題があります。隣国で、日本にとって最大の貿易相手国だといっても、日中間の深刻な問題に目をつぶっておつき合いするわけにはいきません。いま、習近平国家主席を国賓待遇で招くということになっていますが、それはないでしょうと思いますね。

外交は政府が責任を持ってすることではありますが、私は反対だということを雑誌『正論』での安倍（晋三）総理との対談でお伝えしました（編集註／日本政府は二〇二〇年三月五日、日中両政府が四月上旬で調整してきた習近平主席国賓来日の延期を発表）。

矢板　習近平主席としてはものすごく日本に来たいのですよ。香港、ウイグル、米中貿易、今回の武漢ウイルスと、国内外で様々なことが上手く行かずに、大変な状況になっているのです。日本に行けば、国賓ですから、日本の天皇陛下とお会いして、日本の国民から歓迎を受ける。その映像が世界中に流れると、すごくイメージが良くなるわけですね。

来日するとなると習近平主席が一人で来るわけではなく、数百人を連れてきます。いま世界中が中国を警戒していますが、それは武漢ウイルスの安全宣言になるのです。つまり、中国にとって悪いことは何もなく、日本にとっては良いことは何もないわけです。

国賓で来日すると、天皇陛下主催の晩餐会がありますが、その晩餐会での習近平主席のスピーチ内容に気をつける必要があります。二〇一五年に習近平氏がイギリスを訪問した時に、彼はエリザベス女王の前で日本批判をしました。

櫻井　凄まじかったですね。

矢板　当時、習近平政権は、日本叩きを続けていた時期でしたから、日本軍の残虐性を言い、中国人と英国人は一緒に日本と戦ったと、延々と日本批判を行った。国賓の晩餐会で第三国を批判するのは卑怯ですが、中国は平気でそういうことをします。

いま中国は日本に頭を下げている時期なので、恐らく今回は天皇陛下の前で、日本批判はしないでしょう。しかし、アメリカを批判する可能性がありますよ。例えば、もし、「アメリカのトランプ政権の貿易保護主義によって世界が被害をこうむっている」「アメリカこそアンフェアだ」などというスピーチを延々としたら、どうなるか。歓迎の晩餐会なので、天皇陛下はそれに拍手しなければならないわけです。それでは、国際社会における日本のイメージまで悪化してしまいます。

ですからなぜ、この時期に習近平主席を呼ぶのかと、理解に苦しみますね。

櫻井　あの時、習近平一行について、エリザベス女王は「とても失礼」だと仰った。後に園遊会で漏らした発言をわざとリークしたわけですが、日本がそこまでできるとは思いませんし、天皇陛下はそのようなことを仰るご存在でもありませんし……。細川さんは習近平氏来日についてどうお考えですか？

細川　私は習主席の国賓での来日について、これまでも批判的でした。従来から私は「注文外交」という言葉を使っているのですが、日本が中国に「注文外交」ができていないのが問題だと思っているのです。尖閣の問題はもちろん、東シナ海、南シナ海などの安全保障の問題でもそうでしょう。経済問題でも、先述の知的財産権について、注文をつけるべきことがあります。他国が中国に対して、ＷＴＯに提訴しているにもかかわらず、日本は提訴していない、中国に遠慮して注文をつけていないのです。それをきちっとやれてこそ、正常な外交ができるのではないかと常々思っています。
もう一つ、習近平主席の国賓来日について、アメリカがどう見るかもものすごく大事なポイントだと思います。やはりアメリカが疑心暗鬼になるのがいちばんまずい。アメリカとの間合いの取り方で、注意しなければいけない点だと思います。

中国依存からの脱却

櫻井　日本政府はどのような手を打ち得ますか?

細川　政府は実はいま、日本が中国に技術が流出する抜け穴になっていると、アメリカからみなされないような対応を取ろうとしています。例えば一九年一一月、外為法改正がありました。原子力や電力、通信など安全保障分野に関わる日本企業への外国資本の出資に対する規制を強化する内容です。例えば、これまで事前の届け出の対象は、外国の投資家が上場企業の一〇%以上の株を保有する場合でしたが、それが一%以上の場合になりました。また、すでに出資した日本企業に、重要な事業の売却や役員の選任を提案する場合なども事前届け出の対象になります。
中国資本などによるハイテク企業買収の阻止をアメリカもヨーロッパも行っている

のに、日本が抜け穴になっている。その抜け穴を防ぐための外為法改正だったのです。これについて海外からの投資を締め出してしまうとの経済誌や市場関係者の批判もありますが、本質は対中の安全保障にあるわけです。

同時に、先述の輸出管理の問題をやっていかなければなりません。

つまり、投資の規制と輸出規制、この二つの規制できっちりとした仕掛けを日本国内で作る。これは今後とても大事な動きになります。その時に主導すべきなのが、NSS（国家安全保障戦略）です。その基本方針に基づき、国家安全保障局の経済班が四月一日から動きます。きっちりした仕掛け作りを国内で整備していくのが彼らの大事なミッションです。これをきちっと行って、アメリカの疑心暗鬼をほどき、「抜け穴天国」と言われないようにすることが重要です。

櫻井　日本はその抜け穴をきちんと防ぐことができると信頼してよいですか。

細川　この問題意識については、官邸は共有していると思います。

櫻井　共有している。なるほど。そこでやはり疑問に思うのは習近平国家主席の国賓待遇です。もとより日中関係には尖閣諸島、日本人拘束問題、歴史問題など、たくさんの問題があります。

また、日本一国の問題を超えて、人類普遍の価値観として中国共産党政権と相容れないという思いもあります。とりわけ現在、例えば武漢ウイルス問題でも、先ほど矢板さんが説明されたように、農民工を工場に、都市に戻している。経済成長のためには、何万人も死なせる可能性があっても戻して働かせる。しかもその情報は開示しない。

一方で全人代開催は延期し、共産党の幹部はウイルスに罹患しないようにしています。習近平主席はマスクをして北京には行きましたが、病院にとどまった時間がものすごく短かった。恐かったからでしょう。自分の身は守る。しかし、国民の命は非常に軽く扱う。

このような価値観を持っている中国共産党のトップを国賓として受け入れるのは相当抵抗がありますね。

矢板　いまは、ウイルスへのずさんな対応によって中国国民の習近平氏への不満がすごく高まっています。インターネットの書き込みを見ていると、中国人は隠語で習近平主席を批判しています。監視されているので、直接批判することはできませんが、隠語での批判が溢れているわけですよ。そんな状況で習近平主席を日本に迎えるのは、中国の民衆をすべて敵に回す行為だとも言えます。

櫻井　もう一つ、私たちが考えなければならないのは、歴史的に中国の王朝は疫病によって滅びてきたということです。明も清もそうです。歴史から学べば、武漢ウイルスが習近平体制の基盤を蝕《むしば》んで、国家の命運の大激変が起きる可能性もあります。習近平体制にレジームチェンジさえあるかもしれない。もっと言えば、中国共産党が滅びるかもしれない。トップだけがすげ替えられて、共産党は続くかもしれませんが、大きな変化が起きる可能性はあります。

細川　そうですね。そういう意味では、中国との向き合い方を、やはりいま一度立ち止まって、見極めた方がいい時期だと思います。中国自身が流動的な状況なのに、日本がトップを国賓で迎え入れるタイミングかどうかです。見極める時間をもう少し持った方がいいのではないかというのが、私の考えです。

櫻井　日本にとっても、国家としての正念場だと思います。いま私たちは、中国に関する限り、二つの課題を抱えています。国民全員が一致して、この武漢ウイルスを克服するということが一つ。わが国をパンデミックに落とし込まないというのが大事だということです。もう一つは外交・安全保障の問題で、中国との関係をどうしていくのか。日中関係は日米関係と裏表です。

細川　日本企業は思っていた以上に中国に依存してしまっていることが今回、露呈しているわけです。もう一度、インバウンドも含めて、安全保障の視点から中国依存からの脱却を基本的なスタンスとして、立ち返ってみなければいけないと思います。

櫻井　国家としての覚悟が問われていますね。

（二〇二〇年二月二八日放送）

第2章

追い詰められた習近平

西岡力×門田隆将×矢板明夫×櫻井よしこ

西岡力（にしおか・つとむ）

モラロジー研究所歴史研究室長・「救う会」会長・麗澤大学客員教授。一九五六年東京都生まれ。一九七九年国際基督教大学卒、筑波大学大学院修士課程修了、韓国・延世大学校に留学。二〇〇〇年東京基督教大学教授、二〇一六年麗澤大学客員教授。現代コリア研究所の発行誌『現代コリア』の編集長。一九九八年「北朝鮮に拉致された日本人を救出するための全国協議会（救う会）」の設立に関与し、現在「救う会」の会長を務める。国家基本問題研究所の評議員・企画委員。著書に『よくわかる慰安婦問題』（草思社）、『朝日新聞「日本人への大罪」』（悟空出版）、『横田めぐみさんたちを取り戻すのは今しかない』（PHP研究所）、『歴史を捏造する反日国家・韓国』（ワック）、『でっちあげの徴用工問題』（草思社）など多数。

門田隆将（かどた・りゅうしょう）

作家、ジャーナリスト。一九五八年高知県安芸市生まれ。中央大学法学部政治学科卒業後、新潮社に入社。『週刊新潮』編集部に配属、記者、デスク、次長、副部長を経て、二〇〇八年四月に独立。『この命、義に捧ぐ――台湾を救った陸軍中将根本博の奇跡』（集英社、後に角川文庫）で第一九回山本七平賞受賞。近著に『新聞という病』（産経新聞出版）、『オウム死刑囚 魂の遍歴――井上嘉浩 すべての罪はわが身にあり』（PHP研究所）。主な著書に『死の淵を見た男――吉田昌郎と福島第一原発の五〇〇日』（角川文庫）、『なぜ君は絶望と闘えたのか――本村洋の３３００日』（新潮文庫）、『甲子園への遺言』（講談社文庫）、『汝、ふたつの故国に殉ず』（ＫＡＤＯＫＡＷＡ）など多数。

中国共産党掃討作戦

櫻井　習近平中国国家主席がトランプ米大統領と明日（二〇一九年六月二九日）、大阪で開かれているG20サミットに合わせて首脳会談を行います。米中首脳会談は世界が文字通り注目しています。習近平氏はいまどういう立ち位置にありますか。

矢板　いま習近平国家主席は米中貿易戦争を上手く処理できておらず、内政においても、経済が全然よくない。また香港のデモなどで、政治的にも外交的にも、かなり厳しい状況にあります。

櫻井　米中貿易戦争の経過を振り返ると次のようになります。

【二〇一八年】
七月　第一弾　米国制裁↕中国報復　三四〇億ドル分　二五％追加関税
八月　第二弾　米国制裁↕中国報復　一六〇億ドル分　二五％追加関税
九月　第三弾　米国制裁　二〇〇〇億ドル分　一〇％追加関税
　　　　　　　中国報復　六〇〇億ドル分　五％～一〇％追加関税
一二月　　　　米中首脳会談（アルゼンチン）

米中首脳は関税引き上げを「一時休戦」
ライトハイザー通商代表×劉鶴副首相が交渉開始
一二月　ファーウェイ孟晩舟副会長がカナダで逮捕

【二〇一九年】

五月　トランプ大統領、ツイッターで中国の交渉姿勢に不満爆発
実務者協議が事実上決裂
五月　米国が発動済み制裁関税二〇〇〇億ドル分を二五％に引き上げ
六月　中国が発動済み報復関税六〇〇億ドル分を最大二五％に引き上げ
六月末　米中首脳会談

アメリカが制裁関税をかけ、中国が報復関税をかけるというやり取りが第一弾、第二弾、第三弾と行われました。しかし第三弾で明らかなように、中国の方が息切れしそうになっています。そうした中、一八年一二月にアルゼンチンでG20が行われ、トランプ、習近平両首脳が会談をして、ここで休戦しましょうということになった。その間に、ファーウェイの孟晩舟副会長が逮捕されました。一九年五月になってトラン

矢板明夫

プ大統領が中国は約束を破ったとして怒りを爆発させ、事実上、米中の話し合いは決裂したのです。その翌日にアメリカは二〇〇〇億ドル分の輸入にかける関税を一〇％から二五％に引き上げました。中国も翌月に報復関税で、二五％に引き上げました。

矢板　私はずっと言っていますが、米中貿易戦争というのは「アメリカのトランプ政権による中国共産党の掃討作戦」なのです。一方的にアメリカが仕掛けた話です。当初、習近平主席はアメリカの本音がよく分からなかった。米中の貿易摩擦はいままで、オバマ政権でもありましたし、その前のブッシュ政権でもありました。二〇一五年には訪米した習近平主席がアメリカの飛行機を三〇〇機買うと

門田隆将

言ったりして、上手くだまし、だましやってきたのです。

西岡力（以降、西岡） 本当は買っていないですね。既存の契約のことだったわけです。

矢板 今回は、いよいよアメリカは本気だということに中国もだんだん気がつき始めました。かなり深刻な状況になって、途中でアメリカの要求をいったん呑み込んで、国内に持ち帰った。でも、やはりなかなか難しい。反発も多いし、実施不可能なのです。

そしてとうとう一九年五月になり、このままではたぶんアメリカに押し切られるということで、いったん白紙に戻したという状況です。大阪で開催されているG20での習近平氏の発言を見ていくと、ようやく、そんなに簡

櫻井よしこ

単にこのアメリカとの戦争は終わらないという覚悟ができた感じがありますね。

中国から一三〇兆円が消えた

櫻井　アメリカはかつてソビエトとも交渉をしてきましたが、ソビエトと中国という社会主義の二つの大国では対応が違う。ソビエト、そして今のロシアはまずニェット、ノーと言って拒否し続ける。一方、中国はまずイエスと言う。では中国はイエスと言っていうことを聞くのかと思ったら、聞かない。

門田隆将（以降、門田）　中国は、〝上に政策あれば下に対策あり〟という国ですから、ソ連のようにニェットとは言わないわけですよ。分かりました、そのとおりですと言いながら、

西岡力

いろいろな対策を立ててその通りやらない。これは中国の社会が上の方も含めて全部そうなのです。

今回のアメリカの要求も「逃れられる」と、ずっと各方面で画策していたわけですが、どうもアメリカの態度は本気だぞということになり、一八年後半からかなり習近平氏が焦ったわけです。一九年の新年メッセージに「自力更生」という言葉を二度も使って人民を鼓舞し、その後、共産党内部に配布した文書にも同じ「自力更生」がありました。

「自力更生」とは何かというと、あの「大躍進」の頃からの「自力更生」です。自分たちはどこの力も借りずに人海戦術の精神で頑張るのだ、自力更生のあの時代を思い出せ、ということ。要するにこれからアメリカとの闘いになり、経済がどん底になるかもしれないけれども、あの時代を思い出せと習近平主席が党員に文書を回したわけです。その段階で、これはいよいよ本気で激突するのだなと。

矢板　面白いことに、中国のテレビ局はいっせいに、毛沢東時代に作った反米映画をゴールデンタイムで放送しているのです。もちろん全然面白くないのですよ。毎日ゲームをやっているいまの若者から見れば、そんな五〇年代、六〇年代の映画は芸術性から見ても、ストーリー性から見ても全然面白くないわけです。しかし、それをずっと放映しています。何とか国民を煽って、アメリカと闘いたい。でも実際は、国民はなかなかついてこない。

櫻井　国内的に見て、習近平氏の足下はかなり弱まっていると見るべきですね。

例えば一番大事な経済について、二〇一九年六月二三日の日本経済新聞は「中国、陰る外貨パワー　10年で130兆円流出」という記事を掲載しました。日経は毎日曜日に様々な統計を元に大特集を組んでいて、これが面白い。六月二三日の記事の中で、中国社会科学院の張明研究員がインタビューに答えて、中国は三〜四年で経常赤字になると言っています。中国は外貨の流出が激しいのですが、そのお金がどこに逃げて行っているのかよく分からないというわけです。旅行者が外国に行くたびに外貨がごそっと減っている。

国民が外貨を持ち出して、日本やヨーロッパ、アメリカに貯金をして、いざとなったらそこへ逃げて行こうという準備をしているとも見える。

矢板 そうですね。国民というよりも、そのもっと上に共産党の特権階級がたくさんいて、その人たちがお金を一番持っているわけです。彼らは、例えば習近平主席がいま推進している「一帯一路」のようなプロジェクトに参加すると称して、お金を外貨に替えて持ち出したりしています。

櫻井 自己保身のために「一帯一路」を口実に使うなんてすごいですね。

門田 賄賂の金額も桁が「兆」ですから、すごい国ですよ。

西岡 そして不明金のようなものが一〇年で一三〇兆円あり、統計に数字が合わない。凄まじい話です。

中央総会を開かない理由

矢板 政治的に重要なのは、中央委員会総会（中央総会）が開かれていないということです。二〇一八年二月に中央総会が開かれてから、いま一九年六月の終わりですから約一年半の間、中央総会が開かれていないわけです。共産党政権は、党の規約で毎年一回、中央総会を開くことになっています。しかも、一八年二月の中央総会は憲法改正案をまとめたもので、臨時会議だったのです（編集註／中央委員会総会は二〇一九年一〇月二八日になってようやく開催）。

要するに、いま米中貿易戦争をしているので党内の反発がすごく、いま中央総会を行っても、たぶん反発が多くて、自分の子分が吊るし上げになるかもしれないということでしょう。そういうことで、会期をどんどん遅らせているわけです。

文化大革命中、毛沢東が危なくなった時にもそういう対応をしました。習近平氏はその真似をし始めたのですが、これは実はかなり政権運営で統率が取れなくなりつつあるという状況です。

門田　意外に脆弱《ぜいじゃく》だということですね。一九年六月四日で、ちょうど天安門事件の三〇周年だったでしょう。天安門事件の時に胡耀邦《こようほう》が亡くなって、趙紫陽《ちょうしよう》も失脚するなど開明的な人がやられたわけですが、あの頃といまの体制は全然違います。あの頃は革命第一世代の鄧小平など〝八大元老〟がいて、彼らが元老会議を行い、重要な決定を行っていたわけです。鄧小平がいて、その睨《にら》みがきいていた。しかしいまは、革命第一世代もいません。一八年の全人代で習近平氏は盤石な体制を築いたはずが、実は違っていたわけです。

櫻井　いまの中国は実は大層脆弱であると、そう判断すべき状況ですね。習近平体制の中国は鉄壁の構えではないと。

西岡　中央委員会総会が開かれないくらい、党内にも反対勢力がかなりいるということです。

矢板　何とか今年（二〇一九年）は、大阪でトランプ大統領と話をつけて戻って、早く会議を開きたいのですよ。でも、それもなかなかできないかもしれない。

今回の習近平氏の大阪での様々な発言を見ていて、やはり彼と鄧小平は大きく違うと思いましたね。習近平氏は自分の言葉で自分の思いを話せない。常に原稿を読んでいる。いくら個人崇拝を促進しても、これが彼の限界なのですよ。

西岡　でも、「習近平思想」はすでに共産党の規約に入ってしまっていますね。

矢板　「習近平思想」は、全く中身のない、秘書が作ったものです。だから習近平氏の演説を聞いても全然響いてこないわけです。鄧小平やロシアのプーチン大統領のように、自分の言葉で自分の思いを語れる人というのは、独裁者でもそれなりの指導力があります。トランプ大統領は自分の本音しか話せないから、それはそれで問題なのですが。

門田　そうすると習近平氏には、「中華民族の偉大なる復興」という、あの言葉以外は、自分の言葉はないわけですか。

矢板　あの言葉も別に自分のものではなくて、秘書が作って、それを使っているだけなのです。

櫻井　それにしても習近平氏の発想そのものが、まさに時代に逆行しています。例えば日本は、国営企業では効率が悪いのでとっくの昔に民営化していきましたね。それでＪＲもよくなった。しかし中国は逆に国有企業を強大化させ、言論統制を行い、中国国内に配置されている監視カメラで凄まじい人権弾圧を行っています。歴史の展開に全く逆行することを中国はしているわけです。

西岡　二一世紀だというのに、キリスト教教会の十字架を引きずり降ろして教会を壊すというのは、日本で言えば江戸時代に戻ったのかなという感じがしますね。

櫻井　こんなことをしていると、中国の国民の心はついてこないということを、人民の怖さを誰よりも知っていると言われる習近平氏は、分からないのでしょうか。周囲の誰も習近平氏に言わないのでしょうか。

矢板　何の実績もなくトップになってしまったので、彼は自信がないわけです。なぜ彼が国有企業を大事にするかというと、国有企業の人事と予算は全部共産党のトップが決められるからです。そうすると自分がコントロールできると思うわけですね。民営化すれば当然、その瞬間に特に人事面においては政府が口を出せなくなります。そういう意味でどんどん、中国の民間経済を駄目にして、国有企業を大きくする。

門田　日本人やアメリカ人は中国が民主化しないことが理解できません。ある程度やればいいではないかと思っているわけですよ。それほど甘くありませんけれども。

櫻井　合理的に考えれば、ね。

矢板　けれども、それは自分の死を意味しますね。ルーマニアのチャウシェスクの例を見るまでもなく、弾圧をしてきた人は、民主化したらやられます。三〇年前の天安門事件の時も、最後、なぜ鄧小平があそこまで過酷に取り締まったか。それは、このまま民主化が進んだら自分たちが殺されるからです。習近平氏もそれを分かっているから、常に弾圧、弾圧で行くしかないのでしょう。

西岡　天安門事件の時とチャウシェスクが殺された後、あの時はまだ北朝鮮の金日成が生きていましたが、「俺もチャウシェスクになるのか」と言ったという話を聞いたことがあります。

櫻井　やはり、独裁者はみんな同じような恐れを持つわけですね。

門田　独裁がひっくり返った時は、イコール「死」ですからね。

習近平主席はバイデン待ち

櫻井　中国の民間企業は税金の五割を納めて、ＧＤＰの六割を稼ぎ、雇用の七割を生み出しています。民間企業が牽引車になっているにもかかわらず、民間企業には土地も与えないで、国有企業が占めている。銀行の貸出も民間企業には回らず、国有企業に回している。国が進んで民間が退く、「国進民退」という言葉を矢板さんに教えてもらいましたが、そういう国は絶対に栄えません。

そのような状況の中で中国が、他国から知的財産権を奪ったり、あるいは契約相手を騙したりして、中国だけが不法な手法で儲けているから、トランプ大統領が怒って関税をかけた。トランプ大統領がかけたこの関税に習近平氏は青くなっているわけです。

トランプ大統領はG20で日本に来る前にFOXテレビのインタビューを受けています。すごく面白い内容です。トランプ氏は、関税は最高だ、ちっとも困らないと言っています。そして、中国と交渉決裂した時のことについて、中国が約束したこと全部を実行できなくなったと言ってきた、それで自分はすぐに「OK」と言ったと。それでいいよ、もう何も話す必要はないね、もうやめだと。自分は明日から関税を二五％に上げる、それでいいのだと言って、本当に上げたというわけです。

トランプ大統領は関税は二五％でも一〇％でもいい、我々が圧倒的に強い、勝つのだと言っています。そんなアメリカに対して、中国はいまもう打つ手が全くないのでしょうか。

矢板　いまは習近平氏がとりあえず、いままでまとめたものを、いったん白紙に戻すというところにいます。おそらく、もう一回、ゼロから交渉をしようとしているのですが、それもまた交渉成立前に白紙に戻す。つまり、時間稼ぎをしているのですよ。
それは、二つのことを待っているのです。まず、一つはイランを待っています。イランとアメリカが早く戦争になってくれないかと、イラン待ち。

もう一つは、「バイデン待ち」です。早くアメリカの大統領選でバイデン前副大統領が勝ってくれないかなということです。そうしたらこの悪夢が終わると習近平氏は思っていて、いまイラン待ちとバイデン待ちを一生懸命にやって、時間稼ぎをしていると。

櫻井　まさに第一次湾岸戦争の時、ブッシュ大統領がイラクのサダム・フセインを攻撃した時に、中国はものすごく喜んだのですよ。これでアメリカの力が削がれていく、この間に自分たちの力をどんどん強くできると考えて、チャンス到来と小躍りしたのです。だから中東の危機にアメリカが巻きこまれるのは、中国にとってすごく嬉しいことです。いまも同じですね。

矢板　いまもそうです。当時は、まだ北朝鮮に金正日がいて、リビアにカダフィがいて、ベネズエラにはチャベスもいたし、けっこう仲間がたくさんいましたが、いまは仲間もほとんどいなくなっているという状況。だから、なんとかイランとアメリカが早く何かやってくれないかと一生懸命に煽っています。

門田　中国は客観的に見て、本当はもう個人消費を高める政策を打たなければいけないわけですが、それが全然できなくなり、逆のことばかりしています。そこにこの関税がきていますから、袋小路、蟻地獄に陥ったのですよ。

西岡　さらに人口問題があります。中国はもう労働人口が減り始めました。いままでは人口ボーナスがあったけれども、今度は人口がマイナスになって、成長の足を引っ張り、高度の老人社会になっていく。それなのにいま、アメリカが中国に関税をかけたので、結果、何が起きているかというと、工場がベトナムなどに移っているわけです。生産基地を中国から移すということが起こっていますね。

中国はこれまで人のふんどしで相撲を取ってきたわけです。外資が工場を建てて、国外からいい部品を持ってきて、安い労働力で組み立て、世界中に、特にアメリカに売っていました。これは韓国の朴正煕大統領が作った輸出指向モデルです。しかしいまは、中国から買うと関税がかかるのであれば、他で作ればいいとなっている。これはいいことです。

矢板　そうですね。いま二五％の関税をかけられると、どの工場も二五％の利益なんてないので、もう外に行くしかないわけです。だから資金と技術の流出がどんどん起きていて止められない状況です。香港、台湾、あるいは日本からの投資がかなり大きかったのですが、ここ五年くらい、日本の財界で中国に投資したいというのは少ないのです。

門田　インドに移ってしまったわけですね。インドは人口も中国に匹敵するくらい多い。

櫻井　しかも、インドの方が親日的、少なくとも合理的です。

矢板　そうですね。改革開放が始まった一九七八年、鄧小平は日本にやって来て、日本の企業を回りました。そして松下幸之助氏などに、中国に来てくださいとお願いして誘った。しかし、それで中国進出をした松下電器は、反日デモで何度も焼き討ちにあったりしました。そういうことを考えると、やはり中国に進出するリスクは大きい。さらにいまは、稼いだお金を中国外に持ち出せないですから。

西岡　矢板さんもそうだったのでしょう。

矢板　そうです。産経新聞中国総局の特派員として北京で一〇年間働きましたが、その間に振り込まれた給料も外に持ち出せなかったのです。物を買ったりするなど、いろいろな方法で少しずつ持ち出してはいますが、現金を持ち出せない。

西岡　矢板さんの持ち出しが一〇年間で一三〇兆円になるかも。

矢板　その減少の一部になっています（笑）。

経済成長がなければ不満爆発に

西岡　しかも中国に進出した企業は、技術を差し出せと言われるでしょう。

櫻井　そうです。企業が中国に進出する時、持っている最先端の技術を提供させられるんですね。そうしなければ、中国でビジネスをさせない。許可も出さない。さらに日本と中国の合弁企業の中にも共産党の支部を作れと言われます。昔風の表現をすれば、共産党の〝細胞〟を企業の中に置けということです。二~三人の小さな共産党員の組織を中心に置いて、彼らに会社のすべてを見張らせる。経営方針、人事の全般にわたって監督させます。思想教育も無論きっちりやらせます。この細胞を中国の企業だけでなく、外国資本の企業にも置かせるのです。驚くことに、外資が入っている企業の中で、すでに七割以上の社が社内に〝細胞〟組織を作らされているということです。

西岡　だからペンス副大統領は、二〇一八年一〇月四日にハドソン研究所で行ったあの中国批判演説で、中国は泥棒だと言っているのです。いまの米中対決は貿易赤字の問題ではなく、やはり文明の衝突であり、共産党一党独裁下の市場経済という基本的な矛盾を国際社会は受け入れられない。

門田　問題はそのことをトランプ大統領が認識し、そこにターゲットを絞ったということです。共産党独裁、共産党支配をやめさせることをトランプ大統領がターゲットにしているわけですから悲惨なのです。そうすると習近平氏としては、もう弾圧でしか中国国民の不満を抑える方法がないわけです。

櫻井　だから弾圧が凄まじいではないですか。国防費よりも、国民弾圧の予算の方が多い。そのような国は中国以外、ないのではないですか。

門田　中国の顔認証システムは世界でもトップ。もともと中国は九〇〇〇万人の共産党員が一三億人を監視する体制で、さらに居民委員会という、日本で言えば隣組のような組織が人民同士でお互いを監視し合っていました。それがいま電子化され、顔認証と一緒になり、個人の経歴などが一瞬で分かるようになりました。一人一人の個人データを国家が完全に掌握している。恐ろしい。

西岡　中国は電子マネーが普及しているので、どこで何を買ったかもすべて分かると。

門田　そうすると、民主化運動は中国国内では難しいんですよ。ですから、どんなに経済が疲弊しても、習近平氏は抑え込めると思っているのでしょう。

櫻井　先ほど私たちは中国という国がどれほど脆弱かという話をしました。国家としての力、中国共産党の足下の経済が揺らいでいるにもかかわらず、習近平氏は国内の不満を抑え込めると本当に信じているのでしょうか。

矢板　彼は信じていると思いますが、しかし、いままでは中国には経済成長がありましたね。これは、一般企業に例えて言えば、どんなに労働条件が厳しくてパワハラやセクハラがたくさんあったとしても、給料さえよければみんな我慢できるというようなものです。

でも経済成長がなくなると、なぜこの条件なのかとみんなの不満が一気に出るわけです。この経済成長がいまは厳しくなっています（編集註／二〇二〇年一月一七日に発表された二〇一九年の中国の経済成長率は六・一%）。中国がこれまで三〇年間にわたり、ずっと高度成長ができた最大の要因は、先ほども話に出ましたが海外からの投資です。いわゆる輸血なのです。新しい血液がどんどん入ってくるので、それで経済成長が起きる。でもこの米中貿易戦争によって、新しい血液は来なくなった。流血するようになった。これで一気に局面が変わりました。この状況で経済成長の維持は、とてもじゃないですが難しいと思いますね。

西岡　そして労働力が、人口がどんどん減っていると。

櫻井　国際社会も、中国が異形の国だということに気がついていますから、中国がいくら反米クラブで国々を統合しようとしても、ついてくる国がほとんどない。

面子をつぶされた習近平

矢板　二〇一九年六月二〇日、習近平氏が北朝鮮に行き、中朝首脳会談を行いましたね。彼は北朝鮮の核問題と米中貿易問題を一体化させたいようです。

櫻井　中朝首脳会談では、習近平側は、朝鮮半島問題の政治的解決、非核化のための役割について話したかった。金正恩側は、北朝鮮の非核化取り組みにアメリカからの積極的な反応を得られない、見返りがなかったと恨み節を言って、中国に何とかして欲しいと頼んだはずですね。

西岡　中朝会談後、何もなければ、明日（一九年六月二九日）行われる米中首脳会談で習近平氏は、「あなたの代わりに金正恩に核をやめろと言ってやったのだ。だから関税のことを見てくれよ」と言えたわけです。でも、トランプ大統領は習近平氏が北朝鮮から帰った後の六月二三日に金正恩委員長に手紙を出した。それに金正恩氏は喜んで、いい手紙が来たと言ってしまったわけです。トランプ大統領にしてみたら、「お前なんかに仲介をしてもらわなくても、俺は金正恩と話ができる」のだということでしょう。

櫻井　習近平氏は完全に面子をつぶされてしまったわけですね。

西岡　トランプ大統領はすでに直接、話をしているので、明日の米中首脳会談では、北朝鮮がこういうことを言っていたという話をする必要はないということですね。だから習近平氏は安倍総理に、「拉致のことを言いましたよ」と言って、何とか歓心を買おうとした。

櫻井　そもそも習近平氏は何のために北朝鮮に行ったのか。北朝鮮が一番求めたものは何なのか。それはどのくらい達成されたのか、されなかったのか。習近平氏の北朝鮮訪問の目的、背景についてどう思われますか。

矢板　習近平氏は今回G20で日本に来ると基本的にアウェイです。アメリカといま戦争をしているわけで、日本はアメリカの同盟国、アメリカ陣営なわけですから。そのアウェイに行くのに、一人で行くのは恐い、何とか仲間を増やしたいと、まず北朝鮮の前にロシアに行ったのですよ。そしてプーチン大統領と会って、大阪のG20に行ったら、俺たち二人でやりましょうと誘った。それから中央アジアまで行って、中央アジアで二つの会議を行いました。六月一四日にキルギスで上海協力機構首脳会議、六月一五日にタジキスタンでアジア相互協力信頼醸成会議です。そこでお金をばらまいて、みんな中国の子分だと確認し、それから北朝鮮に行ったわけです。

北朝鮮に行ったのは、アメリカに対して、「北朝鮮は私の子分です。私を通さないと解決しないから、解決したければ貿易問題でちゃんとやってくださいよ」と言いたかったのでしょう。

門田　G20直前になって急に北朝鮮に行ったのは、焦りの証明ですよ。カードを持ちたいわけでしょう。

中国人が北朝鮮観光

西岡　金正恩氏は習近平氏のことも信用しておらず、警戒しているので、習近平氏を使おうとは思っていません。だから金正恩氏が要求したのは、経済制裁破り。外貨をくれということです。先ほども話に出ましたが、上に政策あれば下に対策ありということで、中国はまず観光を使って外貨を与えているのです。韓国・統一研究院によると、二〇一七年には中国から北朝鮮に八〇万人の観光客が入っていました。それが二〇一八年に一二〇万人、つまり五〇％増えた。制裁をやっている最中なのになぜ増えるのかといえば、つまり外貨が落ちるからですね。

見るところもないのに、なぜ平壌になんて行くのかと中国人に聞いたら、いや、昔の文革の時はこういう感じだったから懐かしいという。

門田　日本人が昭和三〇年代を懐かしむみたいなものですね。

西岡　自然が綺麗で、素朴な人情があり、飯が旨い、と。そもそも飯が旨いところに国際人道支援が必要なのか、観光客に食わせる飯があるのかとも思いますけれどもね。

でもそれだけではなくて、私が聞いた話では、中国当局が中国国内の観光業者に補助金を出しているというのです。それで北朝鮮ツアーを安くしているというわけです。全部が同じシステムかは分かりませんが、私が聞いた話では、ツアーの費用に対して七割の補助金が中国当局から出るということでした。それを四割安くして市場に出す。業者が三割をポケットに入れるわけです。それで北朝鮮に安く行けるということでした。安く行けて、人民元が通じる。中国人用に旨いものも食わせるし、カラオケ屋もあって、女の子もいて、夜中に連れて帰ることも事実上できると。

櫻井　つまり買春ですか。

西岡　そういうことが楽しくて、リピーターがたくさんいると。リュックサックに人民元を入れて持っていき、酒池肉林ができると言って通っている中国人がいると、私の知り合いは話していました。つまり言葉は悪いですが、人間の値段が北朝鮮は安いわけですよ。中国はいま物価が上がって、人件費も上がっていますからね。そういう昔の韓国の政権が行ったキーセン観光みたいなことまでやって、北朝鮮は外貨を取ろうとしているということです。

　しかし、国連制裁に「観光」が入っていないことを利用して、中国当局が補助金をつけているのだとしたら制裁違反ですよ。補助金を出せば、支援しているということですから。

門田　二〇〇万人、三〇〇万人という数の中国人が北朝鮮に行けば、かなり外貨が入りますよね。

矢板　私の取材によるとこれは補助金ではなくて、もっと上手いやり方です。いま中国は他国と喧嘩をすると、中国人観光客はその国に行っては駄目だとして、観光客を減らすことで経済制裁をします。韓国に対しても、台湾に対してもこれを行っていますね。では、どうやって観光客を減らすか。観光業者に対して、例えば台湾には年間二〇〇人しか行っては駄目だと決めるわけです。

西岡　枠を与えるわけだ。

矢板　そう。みんな台湾に行きたいわけですから、二〇〇人は募集すればすぐに集まります。そこで、北朝鮮に一〇〇〇人出したら、一〇〇人台湾の枠を増やしてあげるということをやる。北朝鮮のツアーを出すことによってポイントを稼ぐわけです。ポイントをたくさん稼ぐと、台湾ツアーに客をたくさん集められて、儲かるわけですね。

そういうやり方でやれば制裁違反ではない。非常に上手くやっているのです。北朝鮮では、中国の観光客は北朝鮮で何を買うのか。絵を買うというのです。北朝鮮で買えるものはほとんどありません。ただ、人民芸術家という油絵や水墨画を描く人たちの作品の芸術性は非常に高いというのです。人民芸術家はみんな公務員で、すごく安い給料で仕事として絵を描いていますが、中国は実は三〇年、四〇年前に同じ体制でした。あの時の中国の芸術家が描いた絵が、改革開放以降に一〇〇倍とか一万倍の値段になっているわけです。中国人はみんなそれを経験していますから、北朝鮮に行って、絵がよければそれを格安で買うということをやっている。

西岡　脱北者からもらったのを持っていますが、そんなにいい絵というわけではないけれども（笑）。

矢板　例えば北朝鮮が民主化を実現して、経済が自由になれば、その人たちの絵の値段が一〇〇倍とかになりますよ。中国の絵のプロたちが北朝鮮へ行って、買っていると聞いています。そうするとけっこうな外貨になるわけです。絵を買う分には、これも制裁違反ではないですね。

北の兵士は栄養失調

西岡　矢板さんに裏を取って欲しいのですが、さらに酷い話があります。いま国連制裁で、北朝鮮産の鉄鉱石や石炭は買ってはいけないもののリストに入っています。北は困っているわけです。そこで、もともと取り引きしていた中国の業者が北に行き、半額で売買する契約書を作る。そして制裁が解除されたらブツを出せ、しかし金は先に払うと。

櫻井　先物買い？

西岡　そういうことをしているというのです。詐欺にあう可能性もあるのに中国人が先に金を出すものなのか、と疑問に思ったのですが、中国当局が保証しているという話を聞きました。

いま行っている国際的な北朝鮮制裁の狙いは、北朝鮮の外貨を枯渇させ、軍事力を使わずに核開発を止めさせることです。北朝鮮の庶民は自給自足的に生活しているので制裁の影響はそれほど受けない。制裁のターゲットは金正恩のいわゆる統治資金の外貨ですね。北朝鮮の独裁を維持し、核開発を続けるためには党の三九号室が扱っている統治資金の外貨が年間数十億ドル必要です。でも、かつては四〇億、五〇億ドルくらいあったそれが、いま一〇億ドル以下まで減っています。それを枯渇させれば、北朝鮮は音を上げるだろうということです。そして制裁の結果、いま、軍隊や政治警察の配給がどんどん少なくなり、軍人が飢え始めています。政治警察の家族の配給もなくなっている。そういう現象が起きています。

櫻井　北朝鮮はかつては人民にも食糧を配給していましたが、九〇年代半ばになくなってしまいましたね。庶民は闇市場を開くなど何でもして、自分で生きていく道を見つけたわけでしょう。

西岡　かつては闇市場だったのですが、いまは党が所場代を出せという。つまり、闇市場で商売するのにお金を取っていますから、闇ではなくなってしまいました。その市場をチャンマダンと言うのですが、いま国連制裁が効いてきたので、チャンマダンに空きが目立つようになっています。

櫻井　品物もない？

西岡　というよりも、所場代が出せないのです。食料はなんとか売れるけれども、それ以外の衣料品などは誰も買わないから儲からず、所場代が出せない。米を食っていた人はトウモロコシを食べ、麦を食べ、雑穀を食べるようになっている。山に入って焼き畑をやり、何とか食べています。だから九五年からの三〇〇万人餓死のような大量餓死は出ていないのですが、逆に軍の兵士が栄養失調になっています。

櫻井　軍人は政府の支給に依存しているわけですからね。

西岡　そうです。兵営に入るので商売ができませんから。でも、もう中央からの支給がないので、石炭や鉄鉱石を中国に売ったりして軍が商売をしているのです。それで自給自足で兵士を食べさせていたのですが、制裁で石炭が売れなくなったということです。あるいはガソリンなどは軍しか持っていませんが、その軍がイカ釣り船を出しています。そしてけしからんことに、中国が北朝鮮から漁業権を買い、北の近海に中国の漁船が入ってきています。その結果、北朝鮮のイカ釣り船は近海で操業ができなくなり、大型船が小型船を何隻もワイヤーで引っ張って大和堆まで連れてくるから、どんどん転覆して日本に漂着するのですよ。その水産物も制裁で中国に売れなくなった。ですから軍が困窮し兵士が飢えていて、親は賄賂を使ってでも息子を軍に入れたくないという。

櫻井　昔と反対ですね。

西岡　そうです。昔は、軍に入って功績を上げれば、よかったのです。北朝鮮には「成分」というのがあって、成分が低い奴は出世できません。炭坑などに行かなくてはいけない。成分が悪い者は賄賂を使って軍に行き、党員になれば楽な職場に行けたのです。

いまは賄賂を使って軍から逃げる。それで駄目だった場合は、親が兵営の部隊のすぐ前の民家と契約し、ウチの息子は三日に一回出てくるからご飯を食べさせてくれと頼む。上官も、自分の部隊の人間が餓死したら責任を取らされるから、時々、ご飯を食べにいくのは黙認している。あるいは「お前の家は金持ちだな、休暇をやるから米を持ってこい」と利用する。いくら一〇〇万以上の軍隊でも、これでは戦争はできないと聞きました。金正恩氏の軍隊はそういうことになっています。

ただし、配給がいい部隊が一つあるといいます。平壌で暴動が起きることを実は恐れているので、それを鎮圧する新しい部隊を作ったという。

櫻井　新しい鎮圧部隊。

西岡　その部隊はいいものを食べているというのです。ガソリンもある。暴動はいろいろな場所で起きるから、ヘリコプターやバイクで、機動訓練も行っているということです。

また、普通の兵士は、いま、銃弾もあまりないから、一年に三発や四発しか撃てません。ところがその平壌の暴動を鎮圧する部隊だけは、兵器もある、銃弾もあると。護衛司令部という平壌を戦争から守る部隊もいまは縮小されて駄目なのです。だから配給がいいのは、暴動鎮圧の部隊だけだということでした。

何か起きるかもしれないと金正恩氏は恐れているのです。そしてその部隊も食べられなくなったら、本当に何が起きるか分からない。

いま市場、チャンマダンでも不満が高まっています。所場代で食えないから、警察官が商品を没収する。そうするとチャンマダンの商人たちは、ヤクザに金をやって、警察官の出勤と退勤を狙わせる。あいつは生意気だと石を投げられたりします。

櫻井　ヤクザが警察官を、庶民の要請でやっつけているなんて、天地がひっくり返ったような世界ですね。

西岡　だから恐いのだと思いますが、中国から輸入している監視カメラをどんどんつけています。まだ反体制運動が組織化されてはいませんが、不満は高まっています。

（二〇一九年六月二八日放送）

第3章

香港と台湾、歴史の分岐点

西岡力×門田隆将×矢板明夫×櫻井よしこ

香港デモが法案を廃止に

櫻井　中国は香港、台湾問題にどう対処するのか。香港、台湾は中国に抗えるのか。香港では二〇一九年六月一六日に二〇〇万人のデモがありました。

門田　これは歴史を変えた日ですよ。

櫻井　香港の住民は七三〇万人。二〇〇万人が街頭に出たということは尋常ならざることです。その一週間前の六月九日には一〇〇万人以上がデモをしました。ＣＮＮもＢＢＣも連日、香港から生中継で記者が興奮気味に報道しています。日本での報道よりもはるかに力が入っています。

門田　もう道路から人が溢れてしまっている。警察発表ではこれより少ないのですが、本当に二〇〇万人がデモに出たのではないかと言われています。

櫻井　二〇一九年二月に香港政府は議会に対して「逃亡犯条例」の改正を提案しました。その後、デモ参加者数は主催者発表で、三月に一万二〇〇〇人でしたが、六月九日には一〇三万人に、一六日には二〇〇万人になったわけです。香港の立法府である立法会で、「逃亡犯条例」改正の最終審議がその間に行われているのですが、ついに二一日には反政府デモの一部が立法会などを包囲して、林鄭月娥《りんていげつが》長官（香港特別行政

西岡力、門田隆将

区行政長官）が、事実上、同法案は廃案に等しいと発言しました。

門田　なぜ、デモ参加者がここまで増えたか。この「逃亡犯条例」改正案というものが、香港に住む一人一人に直結する問題だからです。この法案には、誰もが別件逮捕で大陸、中国の方に引っ張って行かれる危険性があります。

櫻井　香港は、犯罪人引き渡し協定を二〇カ国と結んでいるのですが、中国、台湾、マカオとは結んでいません。しかし、協定外の中国、台湾、マカオの要請に基づき、容疑者の引き渡しを可能とするのが「逃亡犯条例」の改正案です。

これに対して香港の人が、中国は信じられないと反発した。

櫻井よしこ

門田　中国の意図によって別件で逮捕されて、中国に連れて行かれ、拷問で死ぬかもしれない。そういう改正案だからデモ参加者が増えているのです。

もう一つ、これは、二〇一四年のあの雨傘運動の敗北が前提にあるわけですよ。

櫻井　雨傘運動とは、二〇一四年に香港で行われた民主化のためのデモですね。一七年に行われる香港行政長官選挙で、中国の意向に沿わない候補者を排除する選挙方法を決定したことから、それに抗議する香港の学生などが立ち上がり、街を占拠しました。警察の催涙弾や催涙スプレーに、デモの参加者が雨傘をさして対抗したことから雨傘運動と呼ばれましたね。

門田　あの雨傘運動の時になぜ敗北したのかを、香港の人たちはこの五年間、ずっと考えてきているわけです。なぜ敗北したのか。それは、自分たちにもう少しの勇気がなかったからだ、自分が傷つけられることを最後に恐れてしまったからだ、と。その結果、ここまで自由がなくなってしまった、と。

その翌年、銅鑼湾《どらわん》書店事件が起こります。中国に批判的な本を扱っていた銅鑼湾書店から、社長をはじめ五人もの人が失踪した。中国によって拘束されていたことがのちに判明します。雨傘運動のリーダーたちも次々と逮捕され、投獄されていく。そういうことを、どんどん中国にやられているわけです。

櫻井　銅鑼湾書店の店長は六月に台湾に亡命

しましたね。
門田　そう。そして台湾でシンポジウムを開きました。そして、〝いまの香港は明日の台湾である〟と述べています。
櫻井　そして明後日の沖縄でもある、と。私たち日本人は「明後日の沖縄」と必ず付け加えましょう。

香港二〇〇万人デモの理由

門田　実を言うと私は、最後は改正案を可決するだろうと踏んでいました。でも、先ほど述べた二〇一四年の雨傘運動の敗北の時に、自分は勇気を持ってデモに行けなかったという人がたくさんいた。その人たちが今回、参加してだんだんデモの人数が増えてきた。そして一九年六月一二日に、ついに催涙ガス弾、ゴム弾など、様々なものを香港警察が投入し、大きな闘いになりました。
それに並行して行われたのが、職場の欠席者リストの作成です。例えば学校でどの教師がこの日にいなかったかを調べてリストにする。欠席したということはデモに行ったということです。また、生徒の中では誰が欠席していたのか。日本で言うと教育委員会が各学校長にそのリストを出せと要求していた。地下鉄の職員などについても、休んでいたのは誰かという割り出しが行われ始めました。

しかし、香港の人には二〇一四年の記憶があります。「個」になったら必ずやられるので、みんなで押し出していこうとなっていくのです。個人を孤立させてはいけない、全員でデモに行けば誰もやられなくなると、どんどん人が増えていきました。

そして六月一五日に、デモに参加した男性がビルから転落して死亡します。自殺か事故死か、いまだに分からないわけですが、報道によれば、遺書が部屋に残っていたらしく、これは覚悟の自殺だったのだということでした。

彼は台湾で言えば、鄭南榕《ていなんよう》ですよ。

櫻井　雑誌『自由時代』の編集長で、国民党政権に抵抗して焼身自殺した方ですね。

門田　そうです。その鄭南榕と同じように、転落死した男性は運動を後押ししたのです。彼が着ていた「五大要求」を書いた黄色いレインコートがあるのですが、それをみんなが着るようになった。最初はデモ参加者は黒色の服を着ていたのですが、リーダー的な人たちが黄色の服を着はじめて街が黒と黄色になり、ついに二〇〇万人のデモへと拡大していくのです。

櫻井　六月九日のデモで一〇〇万人を超えた時、次の日曜日にいったいどうなるだろう、もう一回一〇〇万人も集まるかしら、と思った人は少なくなかったと思います。しかし、蓋を開けてみたら二〇〇万人でした。岸信介を退陣させた六〇年安保で国会を取り巻いた群衆は主催者発表で三三万人でした。香港の二〇〇万人は真に凄い数字です。

矢板　実は習近平氏はこの件、全くノーマークだったのです。なぜノーマークだったのか。私も一生懸命に調べてみたのですが、要するにこの法案自体には問題がないのですよ。

いま香港は、毎月五〇〇万人の流入者がいて、そのうちの四〇〇万人が中国から観光や仕事などで入ってくる人です。そのような状況で、犯罪者を引き渡す条例がないと、中国で罪を犯しても香港に逃げたらセーフだということになる。それはおかしいので、その法案を早く作らなければならないとずっと言われていたのですが、きっかけがなかったのです。そして今回、改正法案を作ったのですが、これはいわゆる重犯罪だけが適用されることになっています。アメリカやカナダや韓国にも、みんな香港と同じ文面の法がある。中国も全く同じ文面だから、これが問題になるとは習近平氏も全く想像しなかったのです。

そういう意味で台湾の二・二八事件に似ていると言えます。闇煙草を売っている女性が暴行を受け、それを見た台湾人が一気に立ち上がったのと同じように、この改正法案はきっかけに過ぎないわけです。日頃、中国共産党の弾圧、香港に対するいじめへの不満が高まっていて、そこにたまたまこの改正法案が出てきたということです。

天安門三〇周年で香港はノーマーク

櫻井　香港人の不満は相当根強いのでしょう。一九年三月からずっとデモが続いていることからも、そうした背景が見てとれます。

矢板　実は香港では一〇万人規模のデモでも全然珍しくないのです。毎年のように香港ではそのくらいのデモが起きていて、中国もまたいつものことだと思っていたのですが、そこに六月四日の天安門事件三〇周年が重なりました。中国共産党は天安門事件三〇周年のこの日を、国の最大の治安問題だとして、四月から全ての警察力をその情報収集に投入して対策を練っていたのです。結局、四日の夜は公園でデモがあったものの、その日を越し、警察はみんな休みに入りました。

そこへ香港で全くノーマークの問題で六月九日、一〇〇万人もがデモに参加したので、習近平氏はまずびっくりしたのです。

六月五日～七日、習近平氏はロシアに行き、六月一四日にキルギスで上海協力機構首脳会議、六月一五日にタジキスタンでアジア相互協力信頼醸成会議があった。その六月一五日は習近平氏の六六歳の誕生日でした。実は習近平氏にとっては、この中央アジアの二つの会議が自分の晴れ舞台だったのです。お金をたくさん出したので晴れ舞台で、注目されると思っていたのですが、テレビは連日、香港しかやらない。全然自分のニュースにならない。

六六歳の誕生日の朝には、プーチン大統領が大きなケーキを持って自分の部屋に来てくれました。そのケーキには中国語で「六六大順」と書いてあったのです。六というのは中国で非常に縁起のいい数字で、六六歳であれば二つの六が重なるので、全てが上手く行くというような意味を持ちます。そのケーキをプーチン大統領がニヤニヤしながら渡すわけですよ。しかし、テレビをつけるとずっと香港をやっていて、どこが上手く行っているのだと。習近平氏はかなりショックだったらしいのです。

そこで彼は厦門《アモイ》に行っていた汪洋《おうよう》と、深圳にいた韓正《かんせい》に電話をかけます。この最高指導部の二人の幹部が香港を担当しています。そこでこの法案の撤回、実質の廃案を命令したのです。

つまり、プーチン大統領のケーキが実質廃案につながったという（笑）。

櫻井　習近平氏は六月一五日の自分の誕生日に廃案を命じた。何とも惨めなバースデイプレゼントでしたね。

矢板　はい。習近平氏が誕生日に廃案を命じた最大の原因は大阪です。六月二八日、二九日が大阪G20ですね。その時、テレビで香港のデモが流れるというのは、面子丸つぶれです。どうしても避けたかった。

櫻井　でも、七月一日には香港返還二二周年を迎えます。一日は月曜日ですから、その前日の日曜日には、習近平氏の思惑とは逆にまた大規模なデモが起こるのでは？

門田　実際、七月一日に大きなデモを彼らは行う予定ですよ。

矢板　ただし、改正法案が廃案になったので、だいぶデモは小さくなると習近平氏は思っているわけです。もし廃案にせず、あのまま対決姿勢でいたら、今度は二〇〇万人、三〇〇万人、四〇〇万人のデモになるかもしれないということです。

門田　習近平氏は困ってしまっていますね。林行政長官は辞めたい。そして本当は、人心が離れているから北京政府としても辞めさせたい。けれども、辞めさせるわけにはいかない。なぜなら民主化運動で香港政府側が折れたという構図は、絶対に作ってはいけないからです。あってはならないことだから、辞めさせられないという状態がいま続いています。ただ、長官の任期は二〇二二年までなので、その間に何とかできないかとまだ目論んでいますね。

でも、今回のデモで香港の人たちは、自分たちが勇気を奮い起こして、全員でデモに出れば勝てるということがもう分かったのです。

中国軍が香港の警察に

櫻井　それにしても中国共産党政権のデモ弾圧は酷いですね。目に見える場所での弾圧も、大変な弾圧ですが、世界の目が届かない所ではいったいどんな形で香港人を弾圧しているのか。場合によっては命さえも奪っていると考えざるを得ません。

門田　いま「天安門の母」と言われている人がいます。六月一二日のデモの時に、私たちは武器は何も持っていない、子供たちに暴力を振るうのはやめてくださいと広東語で言ったら、シュッと香港警察に催涙スプレーをかけられる場面が映像で流れたわけです。その映像で、みんな「あっ」と思った。警察には言葉が通じていないのだということが香港人の間に広まった。もともとデモを抑えている香港警察は、警官の格好をしているけれども、人民武装警察、あるいは人民解放軍ではないかという噂があったのです。

櫻井　北京語と広東語は全然、違いますからね。

門田　そうです。そして「天安門の母」に香港警察が催涙スプレーをかけてしまったことが、六月一二日から怒りが広がる原因になったわけです。様々なことが重なって、香港史上最大の二〇〇万人デモになった。どこにカメラを向けても、人、人、人という状況になったのです。

矢板　六月九日のデモでは、中国の広東省の軍人か武装警察が香港の警察の制服を着て抑えにかかったのではないかという話があるのです。証拠がいくつかあって、一つは、男の警察官が棒を持って人を殴るケースの写真がある。香港では情報公開で、警察官には番号がついていて、その番号を調べればインターネットでその人の顔写真が出る仕組みがあります。その警察官の番号をそうして調べたら、女性なのです。殴っているのは男ですよ。同じ番号のはずはないですから、これは他の政府から来ていると。

西岡　女性の番号だけれども、殴っている写真の警官は男だったということですね。

矢板　そうです。もう一つは、フランス人の記者が警察官に「ここは天安門ではないので発砲できませんよ」と英語で大きな声で言ったら、目の前の警察官の四、五人、誰も理解できていない感じなのですね。

櫻井　香港の警察で英語が分からないことはあり得ない。

矢板　香港の警察は英語ができないと警察試験は受からないのです。

　三つ目は、そのすぐ後の月曜日だったかに、香港の観光スポットで、警察官が集団で記念撮影をしていたということです。これは目撃者がたくさんいる。

門田　なぜ香港の警察官が観光して、写真を撮っているのだと。

矢板　中国からせっかく出張で来ているから、ということでしょうか。この記念写真の撮影も目撃者がたくさんいて、これは絶対に中国から来ているとなった。それがインターネットを通じて広がっていって、習近平的にはこのままではもたないと思ったのですよ。

西岡　でも、中国共産党はこれで引くだろうか、私は疑問に思います。一九八七年の韓国の民主化デモの時には、八八年にソウルオリンピックがあったから、戒厳令は敷かなかったのです。今回はたぶんＧ20があって、トランプ大統領と会う時に、人権について言われたくないということがあるから、一度引いたふりをしたのでは、とも思います。

櫻井　習氏が「引いたふりをした」というのは正しい見方だと思います。中国共産党は絶対に香港の自治は認めないと決めているでしょう。二〇一七年一〇月の全人代で習近平氏は香港とマカオに対して「全面的な管理権をしっかりと握りしめる」ことの重要性を繰り返し述べています。世界の指導者が集まる大阪で非難されないようにという想いから、引いたふりだけしているのでしょう。

歴史の分岐点

櫻井　Ｇ20が終わると、香港情勢はどうなるか。習近平氏は香港を統治できるのか。

矢板　今回は、香港に対するコントロールを失いつつあった代表的な事例だと私は思います。香港の議会は選挙制度が特別なので、各業界の代表が議員になっています。必ず親中派が過半数を取れるようになっているのです。ですから全ての法案は簡単に通ります。

でも「逃亡犯条例」は、議会を通したくないのですよ。世論が完全に反発しているのが理由の一つですが、もう一つはいまアメリカと貿易戦争をやっているからです。アメリカから見れば、もし香港をこれ以上、中国と一体化すると、香港にも二五％の関税をかけようとなるわけです。

西岡　なるほど。いまはかけていない。

矢板　香港は自由貿易を行っているので、いまはかけていないですね。現に中国にかけられた二五％の関税を逃れるために、香港ルートを使って、いまたくさん物が流れ始めています。だから香港の財界としては困るわけですよ。

香港の議員はほとんど財界の代表でもありますから、私たちは中国と違うのだと示すために、法案を通したくないのです。だから今回の議案は、本当は四月に通さなければならなかったのに、ずっと審議中、審議中で延期になっているわけです。延期しているうちにデモが大きくなり、議員たちも職場放棄した。それが〝廃案〟につながったのです。まだ正式には廃案になってはいないですが（編集註／二〇一九年一〇月二三日、香港政府は「逃亡犯条例」改正案を正式に撤回）。

門田　私は、この六・一六の二〇〇万人デモは歴史の分岐点だと言っています。人権弾圧や法の支配の無視を、世界注視の中でもできると習近平氏が思うか、思わないか。世界注視の中ではやりにくいぞということを、習近平氏は知ったと思います。
　すると今度は、これによって台湾の政治状況がひっくり返ったのです（編集註／二〇二〇年一月一一日の台湾総統選で蔡英文氏が再選）。
櫻井　中国共産党がどうしても抑えたいと思っているのが香港と台湾ですが、その台湾情勢を、香港情勢が大逆転させた。これは凄まじい。
門田　凄まじいことです。蔡英文氏の人気は、つい先日まで最低の最低のところまでになっていたのですからね。
櫻井　先日、門田さんにこの言論テレビ（編集註／本書の元になったインターネット番組）にご出演頂いた時には、蔡英文氏の支持率は最低で、どの候補者と闘っても総統選挙では勝てない状況でした。
西岡　私も一九年三月に台湾に行って、そう聞きました。
門田　実際の支持率をフリップで出して説明しましたが、その数字は一九年二月二〇日の資料だったわけです。その時、韓国瑜氏（高雄市長、国民党の候補）が五四％、蔡英文氏はその半分以下の二五％しかありませんでした。ところが、この六月二一日に行った世論調査の最新の数字では蔡英文氏がなんと五〇％と倍になりました。韓国瑜氏は逆に三六％へ急落。彼に倍の差をつけられていた蔡英文氏が逆転してしまったのです。郭台銘氏（鴻海精密工業創業者、無所属）にも勝つという数字になりました。つまり、蔡英文氏が総統選を誰と戦っても勝つことになるという、ものすごい逆転劇が起こったのです。

矢板　蔡英文さんの最大の助っ人が習近平氏なのです。

全員　ハッハッハ。

櫻井　習近平氏はきっとほぞを噛んでいるでしょう。

中国の介入

門田　二〇二〇年一月一一日の総統選で国民党が政権を取るような場合は大変なことになります。次の総統選は政権選択の選挙ではなく、「国家選択」の選挙なのです。ここへ来て神風がついに吹いたわけでしょう。革命ですよ。これで民進党が勝てば、東アジアの歴史を変えたのは六・一六香港大規模デモだったということになります。

櫻井　香港の大規模デモを起こしたのは習近平体制に対する不信ですから、習近平氏が自ら招いた彼にとっての災いで、私たちにとっては幸福であるということね。

西岡　難しいですね。デモによって自分たちのやろうとしたことを抑えられたという構図は、習近平氏、中国共産党としては絶対我慢できないでしょうから、いつか巻き返そうと思うでしょう。しかし、台湾の選挙までは香港デモのリーダーを逮捕するようなことができない。台湾総統選に悪影響を与えますよね。

櫻井　それでも台湾の選挙に手を出しているのですよ、中国共産党は。直接、選挙に関わる情報操作は日々、何千件も起きていると、民進党側は言っています。それ以前に、台湾のメディアの大半がすでに中国資本に握られています。台湾の財界も中国寄りの企業が多い。香港デモのリーダーを逮捕するというようなあからさまな民主主義弾圧は控えていても、中国共産党の香港、台湾に対する攻略は見えにくいところでずっと行われてきました。

門田　中国はなりすましをやるわけです。今回の香港デモの中でもデモ隊側として暴力を振るっている奴がいたのですが、それは実は警察なのですよ。

中国の連中が、デモ隊がひどいことをしていると思わせるために、わざとやる。

デモ隊の方がこれほどひどいことをしているから警察が警棒を振るったのだとするために、なりすましを入れてくるんです。韓国瑜氏の高雄市長選の時も、相手方になりすまして、彼を中傷するようなことをする。そうすると結果的に、中傷した側が評判を落としていきますよね。

櫻井　中国の得意技ですね。

矢板　そうですね。最近流行の選挙介入、アメリカの大統領選や、イギリスのEU離脱の投票にもロシアが介入したと言われています。中国も現にオーストラリアに介入したと言われていますし、いろいろな選挙に介入していると言われています。そして一番代表的なのが一八年一一月の台湾の統一地方選挙です。この統一地方選には中国の影響がかなりあり、フェイクニュースを流したりしていた、と言われています。

蔡英文さんが一九年三月に産経新聞のインタビューの中ではっきりと介入があったと発言しています。

櫻井　蔡英文さんは、中国の「網軍（サイバー部隊）」は一八年一一月の台湾統一地方選でも、中国寄りの野党と「協力関係にあった」と述べていますね。

矢板　そうですね。その中国の介入によって、選挙結果が変えられたと蔡英文総統ははっきりと言いました。そして日本と情報交換したいと安倍政権に呼びかけたのですが、いまのところ日本政府はそれを無視している状況です。

実際、台湾ではさっき櫻井さんが言われたように、二〇二〇年一月の総統選挙に関してすでに中国の介入があるのです。それがどれほど選挙の結果に影響を与えるのか、非常に深刻な状況になっていると思います。

櫻井　台湾総統選が、日本の国運を左右すると言ってもよいと思います。日本だけではなく、アジア全体、世界全体でどちらの価値観が勝つのかという闘いでもあります。習近平氏が行っている一党専制独裁政治がよいのか。文句を言う国民は黙らせる、共産党以外には情報を与えない、共産党の教えを徹底する。私たちから見ると中国主導の社会は暗黒社会です。アジアはそのような方向へ行くのか。それとも民主主義の方がよいのか。アメリカや日本が共有する価値観の方向へ行くのか。この二つの価値観の間のせめぎ合いが凝縮されているのが台湾です。私たちがどちらを選ぶかは火を見るより明らかなわけで、私たちには台湾を応援するしか選択肢はありません。だから台湾に対して、私たちの望む方向へ好転するような援助や支援、精神的応援も含めてあらゆることを日本はしなければならないと思いませんか。

中国の利益を代弁する人たち

矢板　そう思います。今回の台湾の選挙は米中の代理戦争ですが、蔡英文氏も頼清徳氏も、民進党系は日本をものすごく大事にするわけです（編集註／二〇二〇年一月一一日の台湾総統選で頼清徳氏は副総統に）。現に国民党系の韓国瑜氏も郭台銘氏も日本には来ていませんよね。頼清徳氏は選挙の忙しい時に日本に来たりしています。

だから、日本を友人と思っているのはどちらかハッキリしているわけですよね。日本はきちんとそれを判断しなければいけない。例えば今回の香港の問題もそうですが、日本は何も言っていないのですよ。

櫻井　今回安倍総理は、習近平氏との会談の中で香港問題を取り上げて懸念を表明しました。しかし、もっと安倍政権はハッキリと物を言わなければいけないと思います。なぜならば、それこそ私たちが依って立つ価値観の基盤の話ですからね。

西岡　安倍外交は価値観外交だと言っています。価値観外交だと言っているのだったら、まさに価値観が侵されそうになった時には、おかしいとハッキリ言わないといけない。国家基本問題研究所（国基研）のホームページにある「直言」欄に書いたのですが、第一次安倍政権の時に自民党の中に「価値観外交を推進する議員の会」という議員連盟を作ったのです。古屋圭司氏が会長で、中川昭一氏がまだご存命で顧問でした。最初の会議で中国とは価値観が違うのだと古屋氏は言った。中国と我々は違うと言ったのです。中川氏は、中国の一省などになってはならないと公然と言って、朝日新聞の社説に、危険な人たちがこんなことを始めたと書かれたくらいなのです。

つまり政府が言うこと、党が言うことでは、党の方が自由度が高いわけです。安倍総理は第一次政権の時に最初に訪中しましたが、その時にはちゃんと党の中ではそういうことを言う人がいました。いま党の中でなぜ声が出てこないのか。中国大使館から電話がかかってくるかどうかは分かりませんが、議員は日本の国益のためにあり、国会こそ言論の府なのですから、物を言わないといけない。外交部会で外務省の人間に韓国けしからんと言うのは、安全だから言える話です。

中国の人権問題について声を挙げるべきです。

門田　どんどん言わないといけない。習近平氏と安倍総理のG20開幕前の首脳会談で、香港問題で自由と人権について安倍総理が言及したことに香港の人はものすごくびっくりして、大喜びなのです。議長国だから言わないのではないかと香港の人は思っていた。

櫻井　議長国はまとめなくてはいけないですからね。

門田　安倍総理は直接、習近平氏に言ったわけですが、本来、日本政府の立場として大規模デモの時に言わなければいけないのです。

私たちから見たら人権や民主は普遍的な価値観としてある。最後はそちらが勝つだろうと思っているのに、東アジアではそれが違う。そして日本には中国の利益を代弁するような朝日新聞や毎日新聞のようなメディアがある。そして中国の利益を代弁する宏池会や平成研のような政治家が自民党の中にも現実にいるわけです。

だからこそ、もっと安倍政権は台湾の問題にも中国に遠慮せずに言わなければいけない。

櫻井　チベット問題については自民党はよくやっているのです。ダライ・ラマ法王やロブサン・センゲ首相を招いたりして、世界最大規模のチベット議員連盟を作ったわけです。中国大使館からかなり露骨な圧力が来ても、跳ね返したのですが、今回、香港の件については非常におとなしい。

いま門田さんが指摘されたように、議長国でありながら安倍総理が香港問題を提起したことについて、香港の人がすごくびっくりして喜んでくださった。このことを日本の議員は知って、もっと誇りを持つのがいい。日本が一言言うか言わないかによってアジアの状況がガラリと変わる。そのくらいの力を日本が持っているということを、私たちがまず認識し、次にその影響力を活用する知恵を働かせたい。

門田　日本に対する国際社会の期待があるわけです。日本は中国に物を言う立場なのです。敗戦国として国連に後から参加し、一貫して平和の国として、民主国家として貢献をしてきたわけですから、日本はその普遍的価値観を語るべき国なのです。

歴史問題は終わった

西岡　今回、G20を見ていると、安倍総理が中心にいて、習近平氏がクシャッとした顔をして、文在寅《ムン・ジェイン》大統領は誰にも相手にされませんでした（笑）。

つまり歴史問題は終わった。第二次世界大戦前の日本の在り方を問題にして日本を縛ろうという勢力が中国共産党と朝鮮労働党と韓国の左派でした。そして台湾の国民党がそれをやろうとしている。でもG20で、歴史修正主義者と当初、あれだけ言われた安倍総理が議長席に座り、世界各国の人間が安倍総理と会いたいと首脳会談をやる。

文大統領も安倍総理と会いたいけど会わせてくれないと怒っている。それは文氏が徴用工問題で歴史問題を抱えてくるからですが、世界の主流としては、歴史問題は終わっているわけです。

門田　しかもその歴史が虚偽ですからね。

西岡　そうそう。歴史問題は終わった。しかし、トランプ大統領が日本に来る前に日米安保についてこういう言い方をしたのですよね。日本が攻められた時はアメリカは第三次世界大戦を戦うのだ、でも日本人はそれをソニーのテレビで見ている、と。つまり、見ていないで一緒になって戦えということを言っているわけでしょう。第二次世界大戦の話はもう終わっていて、第二次世界大戦で日本が世界を侵略したから日本だけは弱くなくてはいけない、日本の手を縛っておかなくてはいけないというのが歴史問題の本質だったのですが、その戦った相手国であるアメリカの大統領が、第三次世界大戦になったら一緒に戦おうと言っているのです。

櫻井　大きな変化が眼前で進行していますね。

西岡　そうです。だから、第二次世界大戦ではアメリカと中国が同盟国で日本と戦ったと言いたくて仕方ない人たちが、大阪G20で小さな顔をしている。

門田　逆に言うと、日本の立場はそこまで大きくなっています。日本は世界が二つに割れた時に本当に両方を激突させないようにする平和国家です。今回、安倍総理はイランにも行きましたが、日本の戦後の平和国家としての歩み、国際社会が二つに割れた時には日本が出て行くよということを表すものにつながって欲しいと思います。

櫻井　今回のトランプ発言は歴史的重要発言です。アメリカは日本を守る、そのために第三次世界大戦を戦って命をかけて血みどろになってやる時に、日本はソニーのテレビでこの戦いを見ている。これはアンフェアだと言っているのは、日本国に対して、もういい加減、戦後体制をやめなさい、憲法改正しなさい、一人前の国なのだからその分の責任も負いなさい、これまでのような安寧の中でアメリカ頼りで暮らすことは許されませんよということでしょう。

西岡　商人国家などと自分で自分のことをけなすようなことを言うな、日本はプレーヤーだと言っているのです。

第三次世界大戦があるとすれば、まさに自由を弾圧するような人たちとの戦いになるかもしれない。その時に日本はソニーのテレビを見ているのかということです。島田洋一氏が言っていましたが、湾岸戦争の時にクウェートの幹部たちはみんな、多国籍軍が自分の国を守っているのにヨーロッパのホテルでテレビを見ていたそうですよ。

櫻井　よその国に逃げて高級ホテルでテレビを見ていた。

台湾有事に日本は

西岡　だからトランプ大統領のソニーのテレビの話には、アメリカ人はみんなピンとくるということです。アメリカ人は社交辞令では、日本のことを分かっている、日米安保は大切だと言うけれど、本音の本音を言ったら、自衛隊は盾で米軍が槍で、槍の方が一番に死ぬ。危ないところに俺たちを行かせるのかとアメリカ人は本当は思っていると言うのです。やはり日本はプレーヤーにならなくては駄目ですよ。

櫻井　そのメッセージを、私たち日本人全体がきちんと正対して受け止めるべき時なのです。もしそれをすることができたら、香港問題や台湾問題についても、もっと腹の据わった言葉が、政権や政党から出てくるはずなのです。自民党だけではなく、野党の立憲民主党などもそうです。立憲民主は民主主義や人権を常に言うのに、なぜこういう時に一言も中国に対して物を言わないのか。本当にだらしないことこの上ない。日本人は政治家も私たち民間人も、もっともっといま、物を言わなくてはいけない。

西岡　日本国内だけが遅れています。トランプ大統領は第三次世界大戦だと言い、日本はどちらの側につくのかと言っているのに、日本では第二次世界大戦で戦った側だから我々は自粛していなくてはいけないという認識がまだ多い。

門田　第三次世界大戦になるのを防がなくてはいけない。台湾がその勃発の大きなきっかけになる可能性があるわけです。台湾・新竹の樂山というところに世界最大の巨大レーダーが置かれています。ＥＷＲという中国全土を衛星と連動してカバーするレーダーがあって、中国はこれがアメリカによって運用されていると思っています。世界最大のものですから、それは日本にとってものすごく大きい。タンカーをはじめ毎日三〇〇隻以上の日本の船が航行している台湾海峡を絶対に中国の〝内海〟にしてはならないわけです。だから、台湾で一朝有事があった時に日本がどう動かなければならないのかを常日頃、議論しておかなければならないのです。

西岡　日米安全保障条約の第六条にはこうあります。

〈日本国の安全に寄与し、並びに極東における国際の平和及び安全の維持に寄与するため、アメリカ合衆国は、その陸軍、空軍及び海軍が日本国において施設及び区域を使用することを許される〉

つまり、日本が攻撃されなくても極東に有事が起きた時には米軍が基地から出ていって戦うということです。そして極東有事の時はアメリカには台湾関係法があって、台湾の民主主義を守ることになっています。

しかし日本も、アメリカが台湾のことで、在日米軍基地を使わせてくれと言うから使わせる、それを自衛隊が後ろで支援するということではなくて、日本が台湾の自由民主主義を守るために必要なことを行うという主体的なプレーヤーになるべきなのです。私は先ほどから第三次世界大戦と言っていますが、それはすぐに撃ち合いをするという意味ではありません。

冷戦が第三次世界大戦だったのです。共産主義勢力との戦いです。第一次冷戦は我々は勝ったけれども、しかしそれはヨーロッパで勝っただけで、中国共産党は残っています。つまりまだ冷戦は終わっていない。その冷戦を我々は戦わなくてはいけない。そのための敵が中国共産党の一党独裁体制であり、北朝鮮の世襲独裁体制なのですよ。

中国への配慮を断ち切る

櫻井　私は、日本人も日本政府も、もっと日本国に自信を持ったほうがいいと思う。例えば習近平氏に対して下手に出る必要はまったくありません。トランプ大統領に対しても対等にやればいいのです。私たちはもっと自信を持って、日本がどういう力を持っているか、どういう信用を受けているか、そして私たちになし得ることがどれだけあるかということをまず自覚する。その上で、まだ足りないことを自覚する。足りないから憲法改正しよう、そしてもっとよりよい形で世界を私たちの考えるよい方向に引っ張っていく力になりたいと、考えたいですね。そうしたらすごく世界全体がよくなると思いますよ。

矢板　確かに安倍総理は今回、香港について習近平主席に直接言いましたし、菅義偉《よしひで》官房長官も会見で言いました。ただその言葉を見ると、心許ない。

例えば、アメリカは香港問題について、絶対に暴力は駄目だ、学生に暴力を振るってはいけないと言っています。カナダは、カナダ人が香港に行った時に中国国内法が適用されるのが心配だから、その法案に反対だと言っています。台湾も法案そのものに反対です。

日本はなんと言ったか。「一国二制度」は守らなくてはいけない、香港の民主主義の繁栄も守らなくてはいけない、と言ったのです。この言葉は、解釈によっては中国は一〇〇%賛成ですよ。だって「一国二制度」は中国政府の基本的な香港政策ですからね。それを日本が支持すると言ったら、中国の立場、中国国内の宣伝部の言うことを、日本が支持した言葉とも言える。中国政府も香港の繁栄が大事だと思っていますし、民主主義が大事だと口では言っています。だから、もっと踏み込んだ発言をしなくてはいけない。

櫻井　ここで安倍総理の発言を正確に押さえておきましょうか。こう言っています。

「一国二制度の下で自由で開かれた香港の繁栄が重要だ」

また、

「人権の尊重や法の支配など、普遍的価値の保障が重要だ」とも語っています。

前者は香港という固有名詞を使って言っています。後者は、政府の説明によればウイグル人弾圧はしてはならないという意味です。しかし、ウイグルという固有名詞は出ていません。

矢板　配慮がすごいですね。今回、安倍総理と習近平国家主席が首脳会談をし、すごく大きな成果がありました。それは、習近平氏に歴史問題を言わせなかったということです。これは日本の歴代政権ができなかったことです。日本で行われた首脳会談では必ず中国側が歴史を持ち出す。しかし、戦後七〇年談話で安倍総理が、この談話をもって最後として、これから自分の子孫たちに謝罪の宿命を背負わせないと言い、実行しました。

だから習近平氏はまったく言えなかった。そこで中韓の歴史の協働も分断したわけです。文在寅大統領が寂しくなってしまったということです。ただし他の面で中国に対する配慮がたくさんある。

そこで決まったのが、二〇二〇年春の習近平主席の来日です。習近平氏は一〇〇%来るとは言っていない。基本的に同意したとしか言っていません。

櫻井　来なくてもいいのですけれどね。

矢板　しかし、これによって二〇二〇年の春まで日本の配慮が続くのではないかと心配しています。

西岡　逆に靖国に行ってしまえばいい。

矢板　そう、行けばいい。習近平氏の来日を心配して中国に配慮し続けると最悪なんです。

台湾の蔡英文総統が一九年三月に産経新聞を通じて日本と安保対話をしたいと発言しました。もう三カ月経ちましたが、安倍政権は完全に無視しています。習近平氏が来るかもしれないから、その前にやってはいけないと言っているのです。二〇二〇年の春に習近平氏が来るとなるとまた安倍政権が配慮して、台湾に何もしないのではないかと、そういうことをすごく心配しています。安倍総理はそう思っていなくても、周りが中国に配慮して忖度していく。それは何とか断ち切らなくてはいけない。

櫻井　安倍政権がすべきことを私たち民間の立場から強く言っていきましょう。それが私たちの役割ですから。きちんとしたメッセージを中国に対しても、アメリカに対しても私たち民間が発し続けましょう。言論テレビはその意味で重要な役割を果たしています。そのことを自覚して毎週、力を入れて物を言っていきましょうね。

（二〇一九年六月二八日放送）

〈櫻井よしこの追記〉

言論テレビでの発信を含めて、日本人のメッセージは確実に官邸を動かしたと思います。本稿におさめた番組から約半年後の二〇一九年一二月二三日、安倍晋三総理は北京で習近平国家主席と首脳会談をしました。日中韓サミットに出席するためです。その場で安倍総理は、六月段階では抽象的な表現にとどまっていた香港問題についても、またウイグル問題についても、とてもはっきりした表現で習主席に物を言いました。

首脳会談はまず冒頭、両首脳と外相らが出席しての会談から始まりました。

一部の状況はすでに産経新聞が報じています。安倍総理はまず香港問題について「大変憂慮している。国際社会も強い関心を持っている。自制した対応が必要だ」などと、習主席を牽制したそうです。習主席は表情を変えずに聞いていたそうです。しかし、安倍総理が続いてウイグル問題を持ち出した時、その場の雰囲気が凍りついたということです。

「日本は地域、国際社会に（中国と）共に貢献していきたい。そのとき、自由、人権の尊重や法の支配の原則を守ることが欠かせない。国際社会は新疆ウイグル自治区の人権状況について中国政府が透明性を持った説明をすることが大事だと考えている」

安倍総理のこの発言に、王毅外相は大きく目を剥き、日本側の人々をギョロ目で睨みつけたことでしょう。なんといっても王毅氏は事前に日本側に根回しをして、「絶対に」ウイグル問題は持ち出さないようにと念押しして回っていたのですから。中国では習主席の意に沿わないことにはどんな人物も出世は叶いませんから、保身という観点からも安倍総理の発言におののいたのではないでしょうか。自分の根回しが奏功しなかったことに驚愕したことでしょう。

安倍総理の発言を受けて、会議の場が凍りついた中で、習主席がこう返しています。

「香港のことを言うならまだしも、ウイグルは民族問題だ。ウイグルは民族問題だ」

中国側はいつも「ウイグルは民族問題だ。中国の国内問題だ」と言います。加えて、「ウイグル人はテロリストだ」とも主張します。

二〇〇一年の九・一一事件が起きた後、当時の国家主席・江沢民氏は二〇〇二年一〇月、米国のブッシュ大統領をテキサス州クロフォードの別荘に訪ね、テロリストに関する情報を提供し、国内では直ちにウイグル人に対する弾圧を強化しました。「ウイグル人＝イスラム教徒＝テロリスト」という構図でウイグル人をテロリストに結びつけ、単純化した考え方で、ブッシュ政権をはじめ世界を説得したのです。ブッシュ政権は九・一一で米国本土への襲撃を受け動揺していましたから、テロリストやイスラム教徒に関するいかなる情報も欲しかったのです。

習近平氏が安倍首相に「ウイグルは民族問題だ」と言う時、内政干渉するなどという意味の中に、ウイグル人はテロリストだというメッセージも含まれていると考えて間違いありません。そう考えるからこそ、中国共産党はウイグル人を一〇〇万人、二〇〇万人規模で強制収容しているのです。

この強制収容について中国側はこう言います。

「彼らはテロリストだ。よからぬ考え方を持っている。だから彼らが立派な中国人になれるように教育している。ちゃんと言葉も教えている」

ウイグル人がウイグル語の代わりに中国語を学ばせられ、ウイグル語を話すと罰せられることは、すでに世界に広く知られています。イスラム教の信仰も学びもタブーです。その替わりに習近平氏の大戦略目標である「中華民族の偉大なる復興」や「中国の特色ある社会主義」などの「教義」を学ばせられるのです。

そうした中国共産党の教えを十分に吸収して「立派な中国共産党的人間」になった時に、初めて彼らは中国当局の迫害から逃れられると思いきや、そうでもないのです。その証拠に、一〇〇万人単位で収容されているウイグル人の中から、その収容所から解放されてそれなりに自由に暮らし始めたという事例を私は寡聞にして知りません。

さて、日中首脳会談の話題に戻りましょう。自分の根回しを無視されて習近平氏の前で面子をつぶされた王毅外相は、後で日本側に不満の意を伝えてきています。その時に日韓両国の対応を以下のように比較しました。

「韓国の文在寅大統領はウイグルの件には首脳会談でまったく触れなかっただけでなく、ウイグル問題は中国の内政問題だと言った。それなのに安倍首相はウイグル問題で中国を批判した」

確かに文在寅氏は「ウイグル問題は中国の内政問題だ」と発言して、中国に褒められましたが、韓国の保守層は大いに反発しました。また、国際社会においても、文発言は文氏の見識のなさを象徴するものとして受け止められました。

安倍総理の発言は一九年六月段階では控え目でしたが、一二月段階では日本国の首相としても、また国際社会で注目される指導者としても、言うべきことをきっちりと言うという点で評価すべきものだと考えます。

ちなみに安倍総理は中国に拘束されている日本人の件についても、一貫して中国側が拘束の理由を明らかにすることや、法に照らして対応することを強く求めてきました。一九年一〇月に来日した中国の国家副主席、王岐山氏にも、一一月上旬にタイで会談した首相の李克強氏にも各々、文明国として対応することを求めています。その結果、一一月一五日に北海道大学教授の岩谷將《のぶ》氏の身柄が解放されたのは周知の通りです。

ここで二つのことを確認しておきたいと思います。

第一に、これまで親中派が言ってきたこと、中国に対してはあくまでも宥和的姿勢で接することで関係はうまくいくというのは間違いだということです。安倍総理は矢板氏も指摘しているように、初めて、何の譲歩もせずに日中首脳会談を実現しました。ウイグル問題を首脳会談でぶつけても中国側の日本接近政策は変化しませんでした。中国とよい関係を保つには常にこちら側が我慢して慎まなければならないという親中派の主張は間違いです。

第二にいま人類は、確実に守るべき最も大切なものは何かという点で、これまでの道を振り返り、進むべきはこの道だということとの確認作業に入っているということです。中国共産党のように情報を隠し、カネの力と軍の力で支配する国家であってはならないと、多くの人々、民族、国々が考え始めています。日本はこの局面で日本の歴史を振り返り、私たちは何者なのか、どんな国柄だったのかを想い出し、長い伝統の善き価値観を認識し、それを未来に向けての力とすることが大事だと思います。

第4章

韓国「革命政権」の嘘

小野寺五典×西岡力×櫻井よしこ

小野寺五典（おのでら・いつのり）
衆議院議員、元防衛大臣。一九六〇年宮城県生まれ。東京水産大学卒、松下政経塾、東京大学大学院法学政治学研究科修了。一九九七年衆議院宮城6区補欠選挙で初当選。二〇〇〇年米国ジョンズ・ホプキンス大高等国際問題研究所客員研究員。二〇〇七年外務副大臣（第1次安倍改造内閣）、二〇一二年防衛大臣（第2次安倍内閣）を歴任。二〇一七年再び防衛大臣（第3次安倍第3次改造内閣、第4次安倍内閣）に就任。

韓国最高裁の異常な判決

櫻井　朝鮮半島問題を突き詰めていくと中国問題になります。今回は韓国政府の歴史の捏造、その一例である戦時朝鮮人労働者問題、いわゆる「徴用工」問題に集中しますが、常に私たちが念頭に置いておくべきは、中国の戦略です。韓国も北朝鮮も、中国の影響圏に固い鎖でつながれていると言ってよいでしょう。呪縛されているのです。

その点を押さえた上で、韓国が持ち出した戦時朝鮮人労働者問題を考えてみましょう。韓国最高裁（大法院）が二〇一八年一〇月三〇日に新日鉄住金（旧新日本製鉄）に対して、元「徴用工」四人への損害賠償金として四億ウォン（約四〇〇〇万円）の支払いを命じた判決を下しました。

この判決のポイントは、次のようなものです。

日韓請求権協定は一九六五（昭和四〇）年に決着したけれど、その交渉過程で、日本は植民地支配の不当性を認めていない、強制動員被害の法的賠償も根本的に否定している。だからこの戦時朝鮮人労働者問題の請求権は協定の適用対象には含まれていない。消滅時効（未払い金を請求する権利がなくなる期限）はまだ完成していない。日本での原告敗訴は確定しているけれども、その判決は韓国の公序良俗に反するもので、

小野寺五典

韓国では効力は認められない。

そしてこの韓国最高裁の判断は、これは未払い賃金を求めているのではなく、日本が公序良俗に反する許されざる悪いことをしたので、それに対する慰謝料だとしています。一言で言えば、国際法の決まりを一切無視した驚くべき判決です。

新日鉄住金、三菱重工業、それから日立造船と日本企業が敗訴しています。他にも日本企業が提訴されているので、これから同じような判決が出てくるでしょう。日本は韓国の司法が突きつけたこの不条理な問題に向き合っていかなければいけません。

西岡　まず、この問題は話し合いで解決する余地はないわけです。国と国との過去の清算

櫻井よしこ

は条約で行います。その条約に裁判所も含めて国全体が拘束されるというのが、国際法が国内法に優先する原則なわけです。

今回のことで言えば、日本は一九六五年の日韓基本条約と日韓請求権協定で、当時一八億ドルしか外貨準備高がなかった中、五億ドルを韓国に支払ったわけです。それで最終的に解決したことをお互いに認めあった。

さらにそれだけではなく日本は、国会でもう一つ、一九六五年に法律を作り、韓国人が日本人、あるいは日本の法人に対して持っている請求権を全て消滅させたのです（六五年一二月一七日日韓請求権協定第二条三の国内法的措置）。だから請求権はもう実体的にありません。

西岡力

かつて、その消滅させられた債権を持っている人が日本に来て訴えたのですが、裁判所はそれは認められないという判決を出しました。だから日本の法体系の中では、彼らは請求権がありません。その代わりに、韓国政府が過去二回、彼らに補償したのです。

文在寅大統領が二〇一九年一月一〇日の記者会見で三権分立であると言いましたね。

櫻井　三権分立の原則に基づき、韓国政府は司法判断を尊重せねばならないと言いました。あれは酷い話ですね。日本も三権分立なのに。

西岡　そうなのです。こちらも三権分立ですから、日本政府は日本の最高裁の判決に従う義務があるわけです。韓国は韓国の裁判所の判決に従う。だから、法体系と法体系がいまぶつかっている。日本の法体系から言えば、今回、三菱重工が韓国に持っている資産の一部が差し押さえされたことは、私有財産権の侵害、分かりやすく言うと泥棒ですよね。盗みが起きているということになる。

櫻井　堂々とね。

西岡　そうすると、その原告や代理人が日本に来た時に刑法上、どういうことになるのか。法体系と法体系がぶつかっているから、そういうことが起きるわけです。

だからこそ条約で解決をするのですよ。そして条約を結んだら、それがお互いの法体系も束縛するとしなければ、国と国との関係は成り立たないのです。

文大統領が選んだ最高裁長官

櫻井　小野寺さん、いま西岡さんが仰ったような感じで、日本の政治家が韓国の政治家に言えないものでしょうか。「これは法体系と法体系がぶつかっている」「韓国が行っていることは日本の法に照らせば違法」「国ぐるみの窃盗で、日本で逮捕される可能性がある」ということを、例えば政治家の間で具体的に腹を割って話せないものですか？

小野寺五典（以降、小野寺） 当然、みんな心の中ではそう思っていますし、公的に言うと影響が大きいので私的な会話の中ではそういうものがあります。

事実関係をお話しすると、この戦時労働者に対する補償については、慰謝料も含めて、全て日本が日韓の請求権協定の中で払った当時の五億ドルを元に対処するということで決まっています。紛れもなく条約にそう書いてあります。またその協議過程の議事録があるのですが、この中でも明確にそう書いてあるわけです。ですから韓国の最高裁がこれを覆すことが不思議です。

文大統領は三権分立と言いましたが、韓国の最高裁の判事一四名のうち八名は、実は文在寅氏になってから指名した人でしょう。普通は最高裁は、法の最高の番人ですから、アメリカであれば判事は終身です。その人が亡くなったあとに補充という形で替わっていく。日本も定年制が基本です。大統領になったから、自分の好きな人をどんどん選べるなどということは、普通はないわけです。

そういう意味では、この最高裁の判事の選び方自体に政治的な意図がなかったのか。どう考えても政治的な意図があったとしか思えない。これが本当に司法の中立と言えるかということです。

西岡　韓国の最高裁判事は六年の任期です。最高裁の長官が、判事の候補を選ぶのですが、問題は文大統領がいまの最高裁長官を選んだことにあります。
櫻井　韓国最高裁長官は金命洙《キム・ミョンス》氏ですね。
西岡　金氏は実は江原道の地方裁判所の所長でした。高裁の判事をしたことはありますが、最高裁の判事の経験はない。最高裁の判事はしたことがないのに、一つ飛んで長官になったわけです。
櫻井　大抜擢ですね。政治的大抜擢です。そういう人が最高裁長官として戦時朝鮮人労働者問題の判決を下したということです。

革命でなければ起こり得ない

西岡　今回の韓国最高裁判決の論理は、二〇一二年五月に最高裁の小法廷で登場します。新日鉄住金と三菱重工を相手にしたもので、一審、二審の原告敗訴判決を「日本の朝鮮統治は違法な占領」などとして破棄する差し戻し判決を下しました。つまり、今回と同じ趣旨で日本企業が敗訴する差し戻し判決が出ているということです。そこで初めて日本の統治は不法のものだったから、不法行為に対する慰謝料が残っているという論理が登場するわけです。そして一三年七月、釜山とソウルの高裁で原告逆転勝訴判決が下され、新日鉄と三菱重工が最高裁に再上告したという流れです。

先述の国際法の原則などはもちろん韓国側も知っていますから、韓国でもみんな頭を痛めたわけです。報道によると、朴槿恵《パク・クネ》大統領もこんなことがまかり通ってしまったら、韓国は国際社会で恥をかくと言ったといいます。何かできないかと、様々な人が心配をし、韓国の外交部（外務省）が最高裁へ意見書を出したりもしている。国際法は外交部が管轄しているということで国際法の原則を説明したりもし、それをないがしろにする判決が出たら国際司法裁判所で韓国は負ける、韓国経済には大変な影響が出ると意見書を出したりしたわけです。

今回、その資料が出てきたので、「前の最高裁長官が圧力をかけて、可哀想な徴用工をいじめた」というストーリーができ、それが司法行政権の乱用事件とされて、前の最高裁長官は呼び出されています（編集註／二〇一九年一月二四日、前最高裁長官を職権乱用などの疑いで逮捕、二月一一日に起訴）。

前最高裁の判事たちには逮捕令状が出たものの裁判所が棄却しましたが、そのうち何人かの判事はすでに捕まっている（編集註／二〇一九年三月五日、前職・現職の裁判官一〇人を職権乱用権利行使妨害や公務上秘密漏洩などの罪で在宅起訴。梁承泰時代の大法院［最高裁］の司法行政権乱用などについては一〇〇人前後の行政処・大法院研究官出身判事が検察の捜査を受けた）。

　現体制の文在寅氏は自らのことを、ロウソク革命政権と言っていますが、まさに革命でなければ、前政権の約束を破るといういま、日韓で起きているようなことは起きないでしょう。

小野寺　いま逮捕されようとしている皆さんは、法のルールの中で国際法が国内法を上回るという、ごく基本的な考え方の下に法を執行しようと動いたわけですよね。

　いままでは韓国は政権が代わると大統領が逮捕されるので、私ども政治家からしたら恐い国だと思っていたのですが、ついに最高裁の判事ですら、政権が代わると逮捕されるということになった。もう、どう考えたらいいか分からない国になってきている？

「積弊清算」の恐怖

西岡　まさに「積弊清算」なのです。

文大統領が大統領選挙の時に出した政策公約の本では、自分が目指すことは大韓民国の主流勢力を交替させることなのだと述べています。主流勢力は「積弊」だというのです。

櫻井　その「積弊」、国家の弊害というのは、日本の影響を受けた、いわゆる大韓民国が誕生して今日までの主流派という意味ですね。朴槿恵前大統領もそうです。

本当に酷いと思うのは、朴前大統領は六六歳（当時）ですが、二五年間の懲役刑を下されました（編集註／二〇一九年八月二九日、韓国最高裁は二審判決を破棄し、審理をソウル高裁に差し戻した）。九一歳まで獄につながれるということですよ。では、彼女はどんな悪いことをしたのかというと、何もしていないのです。不正なお金を受け取ったのかを調べてみたら、一円も受け取っていない。そして彼女を罪に落とすきっかけとなったタブレットPC。この中に彼女の悪行の証拠があると言われたものですが、これはあとの捜査で、全く偽物だったということが分かったわけでしょう。

西岡　崔順実《チェ・スンシル》氏という友人がタブレットPCを持っていて、彼女が秘密文書をそこに送ったという話でしたね。

櫻井　そうです。でも全然そうではなかったわけです。そのたった一つの物的証拠が偽物であって、証拠の効力がないということが分かったにもかかわらず、一週間に四回も審理を開くというハードスケジュールの酷い裁判がずっと続きました。そして、朴槿恵氏の弁明を何も聞かないで二五年間の実刑です。一円も受け取っていない人に二〇〇億ウォンの罰金刑ですよ。二〇〇億ウォンといったら約二〇億円です。

西岡　罰金はありましたが、追徴金はゼロでした。追徴金というのは犯罪の結果得た利益に対するものですから、それがないということは、賄賂は貰っていないと裁判所は認めたということです。

調べたら何もなかったのにもかかわらず、なぜ収賄罪で有罪になったのかと言うと、経済共同体という特異な概念を検察と裁判所が持ち出したからです。崔順実氏と朴槿恵氏は経済共同体だという概念。崔氏がもらったお金は朴氏がもらったものだというのですよ。しかし共通の財産もないし、口座もない。サムスンが乗馬の選手である崔氏の娘に、高い馬を買ってやったのは事実です。オリンピック選手になるかもしれない民間人に民間企業が寄付したという構図で、もし金メダルでもとったら美談になる話ですが、それが大統領に対する賄賂だと認定されてしまった。ただし、彼女の懐に入ったわけではないので、追徴金はかけられなかったということです。

櫻井　韓国の司法に関連して、張完翼《チャン・ワンイク》氏というヘマル法律事務所の代表に触れておきたいと思います。

この人物がどういう役割を果たしたか。文在寅氏が大統領選挙を闘った当時、前述のように、朴槿恵氏を何の証拠もなしに弾劾して罪に問うという、ある意味では違法な、政治的な革命が行われていました。そのような大統領選挙を闘う文在寅氏を法律面で支援したのが、このヘマル法律事務所であり、張完翼氏だと言われています。

そしてヘマル法律事務所の弁護士、林宰成《イム・ジェソン》氏は、新日鉄住金の裁判で原告の代理人になっています。二〇一八年の一二月に新日鉄住金本社を訪れて、賠償方法などに関する協議を申し入れる要請書を受付に手渡し、その後、外国特派員協会（ＦＣＣＪ）で記者会見をしました。もう一人、一緒に会見した金世恩《キム・セウン》氏もヘマルと近い関係にあると言われています。

西岡　彼らは原告の代理人ですから、新日鉄住金の資産差し押さえをした人です。これは日本の法秩序から見ると、私有財産を侵害した人ということになりますよ。ですから、この次に日本に、記者会見などに来た時に、日本の当局はどうするのかなと、私は見ています。

櫻井　この韓国の弁護士たち、例えば代表の張完翼氏はずっと日本に対して悪意を持ち続けている人です。二〇〇〇年に「女性国際戦犯法廷」が開かれました。亡くなった元朝日新聞の松井やより氏らが、昭和天皇を「有罪」にした模擬法廷です。その中で彼は、検事の役を果たしています。張完翼氏の日本に対する思いには、国際法や常識、良識を遙かに超えた、怨念のようなものがあるのではないでしょうか。戦時労働者問題の裁判を支えている人たちの人脈を辿っていくと、韓国の日本に対する暗い敵意が浮かび上がってきます。

もう一つ言うと、自殺した盧武鉉大統領はヘマル法律事務所に在籍していたことがあります。そして文在寅氏は盧武鉉大統領の秘書室長だった。戦時朝鮮人労働者問題というのは並大抵な闘いではないと思います。

西岡　しかし、彼らには弱点があるのです。今回、資産差し押さえの手続きはしたものの、株主の名義を変えただけで現金化はしていません。現金化はしないと弁護団は言っています。この背景は何か。日本企業を提訴した原告の数は限られていますが、韓国政府が「戦時動員被害者」として認定した人は二二万人います。その人たちがみんなお金を欲しいと思っているわけですね。ヘマルをはじめとする弁護士の人たちも、裁判は代表として行うのだと言っています。やりやすい人を選んで裁判をするので、あなたたちを見捨てるわけではないとして、運動体と相談しながら原告を選んだわけです。その原告の四人だけがお金をもらってしまうと、それで終わりになってしまうのですよ。

だから、彼らの本音は、ドイツが作ったような大規模な基金を日本企業に作らせて、裁判をしなかった人にもお金を配りたいのです。そうしないと、二二万人の人たちの不満が高まるからです。

一部には裁判を起こせない人たちもいます。韓国政府が二二万人を認定した時、当時の資料から一三〇〇社くらいの日本企業が労働者を使っていたというリストを作っているのですが、いま、その中の三〇〇社くらいしか現存していません。もうなくなった企業に裁判は起こせません。

また、韓国政府認定の二二万人の中で、七万人は軍人軍属でした。軍人軍属は民間企業で働いていないのですよ。だから日本政府を相手に裁判を起こさなくてはならない。でも日本政府に対して韓国の裁判所がいくら判決を出しても、政府の財産を差し押さえることはできませんね。しかも日本で行われた日本政府に対する裁判は、全部敗訴してすでに確定しています。そうすると軍人軍属の方が戦死者が多いし、給料も安いし、苦労したのですが、その人たちはお金をもらえないということになるのです。

ゴールポストが動く

小野寺　結局、この議論を行っていると、日韓請求権協定とは何だったのかということになりますよね。もう一度、原点に戻って考えると、全ての補償は終わっているというのが請求権協定です。請求権協定ではよく五億ドルという数字が出ます。日本が有償無償併せて支払った金額ですが、それは当時の韓国の国家予算の一・六倍と言われています。

でも、日本が支払ったのは実はそれだけではないのです。日本が韓半島に残してきた資産、これは約五〇億ドル以上と言われています。これには企業の資産もあれば個人の資産もあります。みんな着の身着のままで逃げてきましたからね。この置いてきたものを私達は求めていません。韓国にお金をあげただけではなく、日本が置いてきたいま韓国の経済基盤を作っているような様々な資産についても請求することはない。
また、韓国にいた日本人が、戦争のどさくさに紛れて、様々な被害を受けたりもしたのですが、その請求もしない。さらに言うと、ご存じのとおり、韓国が李承晩ラインを引いた後に、日本の漁民は韓国に約三〇〇隻拿捕され、三〇〇〇人以上が不当に長期間拘留されて、銃殺された人もいるわけです。この人たちに対する補償は日本政府が、日本人に対して払った。これも韓国に求めない。
つまり、日韓請求権協定というのは、日本が韓国に払ったお金だけの話ではないのです。日本の資産も、日本人が受けた被害も、これで請求しない、なしにしましょうというものです。そうしなければ、ずっと引きずるので両国で決めた話です。

櫻井　その通りです。韓国の人はこの話をよく知りませんが、日本人は知っておかなければなりません。

小野寺　韓国がこうやって蒸し返してくるのなら、逆に日本が、請求権協定で放棄したものをどんどん差し押さえする、逆に損害賠償請求をして日本国内で最高裁が認めた場合には、日本にある韓国の資産をどんどん差し押さえするということになります。こんなばかばかしいことをお互いにやり合っても仕方がないでしょう。やはり原点に立ち戻れば、この泥仕合はやめるよう韓国政府の人にしっかりと伝え、ひるんではいけないと思います。

一番嫌なのは、また戦時朝鮮人労働者問題でも基金を作るという話が出ていることです。慰安婦問題の時にアジア女性基金を作りましたが、向こうはゴールポストを動かした。そしてまた、安倍総理がお詫びをして「日韓合意」で一〇億円の基金を作りましたが、韓国はまた蒸し返しています。結局、話し合いをして、何らかの妥協点を見つけても、政権が代われば、政治体制が代われば、また蒸し返されるのです。日本はやはり、日本の主張を言い続ける、あるいは距離をおき続けるしかないのだと思います。

基金ができず困るのは韓国

西岡　仰る通りですね。基金にこちらが応じなければ、困るのは韓国側なのです。話が違うではないかと向こうの中で内紛が始まります。彼らは先ほど言った矛盾を抱えているのですよ。だから裁判で勝ったにもかかわらず困っている。現金化できない、執行できないのです。それをしてしまったら、自分たちが言っていたことが嘘になってしまうからです。実際、一部の遺族が韓国政府を相手に裁判を起こしたではないですか。

だから日本は動かないで、これは不当なものだから、絶対に基金は作りませんと言うべきです。そしてこの判決は逆に日本の公序良俗に反するものだ、大変なことが起きますよと主張する。

そして小野寺さんが仰る日本が置いてきた個人の請求権の問題。公的なものについては、アメリカが没収して、アメリカ軍が韓国政府に渡した。それについては我々はサンフランシスコ講和条約で認めています。ですから公的なものについては請求はできない。

しかし、私的なものについては、ジュネーブ戦争法規でいくら戦勝国でも無償で没収はできないとされています。だから日本の外務省は当初、国交正常化交渉の中で日本側ももらえるものがあると言いました。でも、アメリカの国務省が間に入ったのです。

ですから、米軍が日本の個人財産を没収して韓国政府に与えた措置を、日本はサンフランシスコ講和条約で了承させられていますが、この秩序を壊したら大変なことになりますよと言いながら、絶対に韓国の要求には応じないと主張しなければなりません。応じなければ困るのは韓国です。それが差し押さえはしても、現金化しないところに現れています。

櫻井　小野寺さんが日本の資産は五〇億ドル以上あったと仰いましたが、これは大変な額です。当時の五〇億ドルですからね。これを日本国民はきちんと事実関係として知っておいて、韓国の人たちにもきちんと言わないといけないと思います。

いま、日本政府は非常によくやっていると思います。安倍政権は慰安婦問題の時の間違いを学びました。慰安婦の時には何も言わないで耐え、好きなようにされてしまった。国際社会にも「性奴隷」という印象を流布されてしまっていますが、今回は当初から日本政府が全部の企業を守ると決めて、全閣僚を集めて対策について相談をしていますね。

韓国の宣伝と日本の運動

西岡　戦時労働者の問題については、実は研究の蓄積がかなりありますが、日本にある多くの研究は「強制連行だった」という立場のものです。

小野寺　朝鮮の方は当初、自発的に日本に労働しに来ていますよ。

櫻井　真実はそうですが、左翼の人たちばかりが彼らのイデオロギーに基づいて資料を収集し、その資料が土台になって研究されていますから、そうなってしまっています。

西岡　一九六五年に朝鮮総連系の学者である朴慶植《パク・キョンシク》氏が書いた『朝鮮人強制連行の記録』（未来社）という本がありますが、その影響を受けた人たちが全国を調べて、リストを作ったという経緯です。そしてそういう人たちが東京大学の教授になるなど、韓国側の運動を下支えしている。韓国側の運動の下支えをしているのは日本の学者であり、韓国の原告を応援してきた人たちも日本の運動家です。いまも毎週、三菱重工や新日鉄にデモをかけているのは、日本人なのですよ。

小野寺　「徴用工の像」が一番初めにできたのも日本国内ですから。

西岡　だから私は、この戦時労働者の歴史問題については強い危機感を抱いています。国際法上のこと、条約上のことでの反論は割と整理されていて、安倍政権もそれはきちんとやっていると思います。しかし韓国は、アウシュビッツのような「人道に対する罪」を日本人が犯したという宣伝をしているのです。『軍艦島』という韓国が制作した映画がまさにそれですね。

櫻井　映画『軍艦島』は日本の事実に基づいて見れば、全部デタラメです。でも韓国では監督が事実に基づいていると言っています。

西岡　それどころか映画自体にテロップで、韓国政府の調査委員会が作った調査に基づいていると、流しています。それは盧武鉉大統領が作った委員会のことです。

櫻井　私たちから見るとデタラメばかりの映画ですが、韓国は世界各地でその上映会を開いています。映像で見ると印象に残ります。ああ、日本はこんなことをやっていた国なんだと、悪印象を持ってしまった人たちがいるということです。そこに、例えば日本側が、この戦時労働者問題はもう片付いている、終わっていると理路整然と言った場合、日本の主張が認められるとは限りません。人間は理屈だけではありません。感情を持つ存在ですから、「ナチスのようなことをしたのか」という印象があれば、国際社会に必ずしも私たちの主張が認めてもらえるとは限らないわけです。

「人道に対する罪」への反論

西岡　国際司法裁判所に訴えた時にどうなるか。ヨーロッパのリベラルな判事たちには、日本は軍国主義で酷いことをやったのだという先入観があります。だからこそ、「人道に対する罪」に事実をもってきちんと反論をする材料、研究が重要になります。日本にはそれがない。ないと言ったら言い過ぎですが、すごく弱い。学者は学問の自由がありますから、国策で研究はしません。そうであれば、政府が必要なそういう歴史研究を行う民間の機関を作らなければならないでしょう。

韓国は盧武鉉時代に東北アジア歴史財団を作って、多額の予算を使ってまず研究をし、資料収集して、若手の研究者を育て、それを元に発信をしているのです。

小野寺　韓国は日本の政治家に対してもフォーラムという形で巻き込んで、韓国側の考え方を説明していました。私も実は若い頃、その勉強会に参加したことがあります。その目的もよく分からず、ただ仲間に誘われて行って、どうも変だなあと。これは何だろうと聞いたら、実はこういう目的でできたものですと説明されて、これはもうお付き合いはできないなと思っておりました。そういう意味では非常にしたたかにやっています。

今回の戦時労働者問題に関しても、例えば、国会議員として今までの情報を整理するよう外務省にお願いした時に出てくるのは、いま西岡さんが仰ったような日本の研究者が蓄積した資料なわけです。韓国に反論するための何らかの努力を外務省が積み重ねていたかというと、そうではないと思います。

西岡　国連では、慰安婦は「Sex Slave（性奴隷）」だと報告書まで出てしまいました。すでに「Slave Labor（奴隷労働）」という言葉も国際社会で一人歩きしています。ニューヨークタイムズは新日鉄住金の判決の記事で、戦時労働者のことを「Slave Labor」と書きました。「人道に対する罪」には時効がないというのが国際法の原則です。

一〇年、二〇年前から準備をしている人たちがいて、そういう人たちがいま日本に対して勝負をかけてきている時に、国際法上だけで闘っていていいのか。二〇年くらい準備してきた韓国側と同じようなことをするためには、やはり日本も一〇年くらいかけて闘える拠点を作らなくてはならない。ぜひ、官民で作ってほしい。訴えられている企業は、基金などにお金を出さないで、そのような財団に資料を出してほしいと思います。

櫻井　海外への情報発信や、その情報を蓄積する、または研究でさらに新しい情報を掘り出すなどの役割を果たす研究所を作ってくださいと政府に言っているのですが、なかなか作られません。左翼の人たちの研究ばかりに、予算を割く仕組みが、いま日本にはあると思われるのですが、それはぜひ、改めてほしいですね。

「進歩的」が「良心的」に

小野寺　防衛大臣の時に一番悲しかったのは、日本の安全保障のために防衛研究に協力をお願いした時、大学の研究機関の教授会が反対したことです。

櫻井　日本学術会議は二〇一七年三月に、「軍事目的のための科学研究は行わない」とする過去の方針を踏襲する声明を決定しました。

小野寺　ええ。そういうことが堂々と出てくるわけですよ。日本国民を守るために、ただ、協力してくれとお願いをしているのに、いまだにやはりそういうことが出てくる。

歴史的なことを敢えて言うのは嫌なのですが、でも言っておきたいと思います。戦後の公職追放の時に経済人や政治家がパージされましたが、その時にアカデミズムの人たちも公職追放されていますよね。その経緯があり、特定の考え方を持つ人たちが、教授、あるいは学識研究者の中に入ってきました。

政治の世界や経済界は社会の中で選別されて行きますから、ある面ではどんどん普通に戻っていったわけですが、研究者だけはご存じの通りです。大学で言えば教授、助教授、助手というふうに教授の考えが遺伝していきます。自分と同じ考えの人を新しく助手に採用する、そういう流れが研究者の世界ではずっと続いてきました。ですから、この分野だけは戦後の公職追放後の状況がまだ残っています。

なぜこんな考え方をしているのだろう、一般常識から見るとちょっと違うかなという方がいまだに多い。そのような意見も大切ではありますが、あまりにそれが強すぎると、ちょっと国民感覚と違うぞということになります。ここの考え方が変わっていくことも大事かなと思います。

西岡　冷戦が終わるまでは、その人たちはある歴史観、即ちマルクス主義の唯物史観を信奉していて、「歴史は進歩する、資本主義から社会主義へ進歩する」と言っていたのです。だから「進歩的知識人」と呼ばれました。でも、彼らは冷戦が終わっても反省しなかった。冷戦後に反省して、マルクス主義が間違っていた、自分たちが間違っていたと言えばよかったのですが、そうは言わなかったのですよ。「進歩的知識人」が「良心的知識人」に化けて、日本が悪かったと過去を謝罪した。

自分たちだけが「良心的」になるために、過去の日本の悪行を暴くということを主として行うように変わったのです。それがいまのこの歴史認識問題の根底にあります。

だからこそ、私たちは「歴史認識問題研究会」を作り、それに対抗する民間の研究をやろうとしているわけです。

丁寧な無視と冷静な抗議

櫻井　戦時労働者問題で、嘘をついているのは韓国です。この韓国を今まで通りの日韓関係の中で扱っていいのか。日米韓が力を合わせて、北朝鮮や中国の危機に対応しようという時ではありますが、今までのように、韓国を扱うことはもうできないわけでしょう。

日韓関係は大事ですが、根本的な見直しが、必要ではないでしょうか。

小野寺　今回も含めて日本は主義主張として、怒るべきことは怒る。そしてしっかりとスタンスを取るべきだと思います。何かを「丸める言葉」がありますよね。「日本の安全保障のために日米韓、日韓の関係は大事だ」と言う。そういう「丸める言葉」で終わらせることは、決してあってはならないと思います。韓国のいままでの政治の動きから見れば、こちらが強く出て、主義主張がしっかりしていればいい。むしろこちら側が、対話をしようとしたり、何か知恵を出そうとしたりすると、土俵が向こうに行ってしまうのです。もうそろそろいままでの苦い経験から、韓国への対応を見直してしっかりとした態勢を取るべきだと思います。

よく私が言うのは、「丁寧な無視」をした方がよいということです。そして「冷静な抗議」を続けた方がいいと。この二つを続けていけば自然と流れができてくる。

櫻井　「丁寧な無視」と「冷静な抗議」。いいですね。

西岡　ただし、韓国を見る時は、北朝鮮を見る時と同じように、政府と国民を分けるべきだと思います。韓国政府が韓国の国益に反する革命をいま行っているからです。北朝鮮を見る時も、北の住民と北の政府は分けるべきで、中国も中国共産党と中国国民を分けて見るべきです。日本も同じです。日本の中にも、我々と分けてもらいたい反日勢力がいます。そういう点では韓国の保守民間人と、日本の我々はまだ対話ができます。北朝鮮の自由民主主義を愛する人たちの中からも、反体制的な動きが出てきているという情報もありますから、連携はできると私は思っています。

櫻井　この問題に関して、立憲民主党をはじめとする日本の野党は何も言いません。

小野寺　何も発信していない。党内にいろいろな意見があるのでまとめきれないのだと思いますが。

西岡　日本共産党などは、戦時労働者の問題で、韓国側の判決を支持しているのですからね。だから国会決議ができませんでした。

櫻井　おかしな政党が日本にもある。日本でもみんな一緒くたにはされたくありません。韓国も同じで、韓国の国民ではなく、とりわけ韓国の保守民間人ではなく、おかしいのは文在寅政権だということをはっきりさせておきましょう。

（二〇一九年一月一八日放送）

第5章

韓半島は米中戦争で決着する

西岡力×洪熒×櫻井よしこ

洪熒（ホン・ヒョン）

一九四八年生まれ。ソウル出身。陸軍士官学校卒業。歩兵将校として野戦部隊の小隊長などを経て国防部勤務。外務部へ転職後、駐日韓国大使館で参事官と公使を務める。退官後、早稲田大学客員研究員、桜美林大学客員教授を経て、現在、「統一日報」論説主幹。訳書に『蜃気楼か？中国経済』など。

韓国は「極めて無礼」

櫻井　今日（二〇一九年七月一九日）、河野太郎外相が戦時朝鮮人労働者問題で駐日韓国大使を外務省に呼び、「極めて無礼だ」と怒りを表明しました。河野氏の対応について、外交というものはあのように表立って怒りをぶつけるものではないという批判も一部にあります。もっと別のやり方もあったかもしれませんが、この問題について、日本は韓国にボールを投げ続け、韓国がまともなボールを投げ返してこない状況が続いています。

日韓間の話し合いの中では、韓国外務省から、日本企業も韓国企業もお金を出して財団を作り、その枠から戦時労働者にお金を払うという提案がありましたが、日本政府はハッキリ断りました。にもかかわらず、また同じ申し入れを韓国大使がした。だから河野外相が「韓国側の提案は国際法違反の状況を是正するものではないと以前に伝えている。それを知らないふりをするのは極めて無礼だ」ときつい調子で言ったわけです。

洪熒（以降、洪）　いまの日韓関係の状況を象徴する出来事だと思います。笑顔で握手ばかり交わすよりは、自分の立場をハッキリ述べた今回の発言は当然だと思います。

西岡力

櫻井　日本は普段はなかなかここまでモノを言う国ではありません。今回は河野外相がハッキリと言った。これについて、私はよくぞ言ったと思うのですが、西岡さんはどうご覧になりましたか。

西岡　そもそもの話をすると、戦時朝鮮人労働者問題、いわゆる「徴用工」の訴訟について、日韓請求権協定に基づく仲裁委員会の設置を日本は求めました。これに韓国政府が応じなかったので、河野外相が韓国の大使を呼んだわけです。

韓国では、日本が一方的に設置の期限を決めたのになぜそれに従わなくてはならないのかというふうに誤解されていますが、そうではありません。韓国もサインをした請求権協

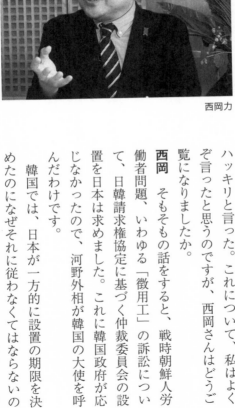

櫻井よしこ

定の第三条に、仲裁委員会をどう作るのかについて書いてあります。仲裁委員会を作る方法は二つあって、一つは日本と韓国がそれぞれ仲裁委員を選任する、そしてその二人が会って、第三国の仲裁委員を選任する。その期限が三〇日になっているわけで、日本は選任しています。そこで韓国にも選ぶように言ったところ、返事がなく、別のことを言って来たわけです。先ほど出た財団のようなことを言ってきたので、それでは話が違うとなったのがＧ20の前です。

次に二つ目の仲裁委員会の設置方法ですが、それは第三国に委員全員の指名を委ねます。これについても、日韓請求権協定に期限は三〇日だと書いてあるのです。ですから、日

洪熒

本が勝手に決めた期限を守る必要はないと文在寅政権が言っているような報道もありますが、そうではありません。
日本は韓国最高裁（大法院）の判決が出たことについて、国際法の違反状態だと言いました。それに対して韓国は違うと言った。では、ということで協定に書いてある通り、日本は進めています。日韓の解釈が違った場合、取る方法についても協定に書いてあるのです。韓国政府も署名をした協定に従って、日本側は一歩一歩進めています。
協定無視について、日本は受け入れられません。外務大臣の言葉使いは気をつけた方がいいし、相手を尊重した方がいい。でも韓国の対応について我々は大変残念だし、こうい

う やり方では日韓関係は発展しないと思います。協定を守って欲しい、約束を守って欲しいと強く言いたいです。

二〇〇五年の韓国の結論

洪　盧武鉉政権の二〇〇五年当時、文在寅氏は民情首席秘書官だったのです。その時、韓日国交正常化四〇年に当たって外交交渉の書類が公開されました。それをきっかけにして、韓国でこの徴用問題が出てきました。その時、韓国では、政府と民間で委員会を作ったのですが、当時の委員長がいまの与党「共に民主党」の代表、李海瓚《イ・ヘチャン》で、当時は国務総理（首相）でした。そして政府側の委員の一人が文在寅氏だったのです。

その彼らが参加した委員会は、この「徴用工」問題について徹底的に調べました。できることはすべてして結論を出した。ですから、いまさらこの問題を持ち出すのがそもそもの間違いです。

櫻井　あの盧武鉉氏の左翼政権でさえも、「徴用工」問題で日本からお金を取ろうと調べたものの、取れないということを理解した。それくらいはっきりとした結論が出ているということですね。

洪　取れないのではなくて、一九六五年の日韓請求権協定で解決済みだということなのです。盧武鉉政権で、それが協定の正しい解釈だとされました。

いま、このような状況になっているのは、法律や裁判制度を革命の道具と考えるような韓国の左翼裁判官たちが変な判決を下したからですよ。それをいま、文在寅政権が利用している。この構図が本質ですから、その本質を抜きにして手続きをしても意味がない。前に進まないのです。

西岡　二〇〇五年当時の話をすると、次のような流れです。韓国側が戦時労働者問題で日本で裁判を起こして全部負け、韓国で裁判を起こしても負けたので、韓国の運動団体が外交文書を公開せよという裁判を起こしました。それも負けたのですよ。つまり、一審で外務省が勝ち、外交文書を公開しないことになったのです。

にもかかわらず、盧武鉉氏が大統領権限で、外交文書を公開するよう命令しました。そうして三万五〇〇〇ページもの資料を公開し、先ほど洪先生が触れた官民合同委員会がそれを検討したわけです。そして、六五年の協定によって日本から提供された三億ドルの中には、彼らの言うところの「強制動員徴用工」への補償も含まれていると見るべきだ、という結論を文書として出したということなのです。その文書自体を私は持っています。このことをやっと数日前に朝鮮日報が報道しました。

朝鮮日報が報じた事実

洪　やっとではなくて、改めて報道したのです。

西岡　改めて報道するのが遅いですよ。朝鮮日報のコラムはこう書いています。

〈請求権協定には強制徴用被害への保障についても明記されている。強制徴用者を103万人と計算し、個人の請求権については「国として請求し、個人については国内で対応する」という内容だ。被害者に代わって資金を受け取った韓国政府が、個別に保障し解決するという意味だ〉

〈2005年に盧武鉉（ノ・ムヒョン）政権が立ち上げた官民合同委員会がこの問題を再び検討し、7万2631人に総額6200億ウォン（約570億円）の慰労金が支払われた。

盧武鉉政権下のこの委員会も、請求権協定で日本から支払われた3億ドルを「徴用被害の補償」として認めたのだ〉（共に二〇一九年七月七日、朝鮮日報「【萬物相】請求権と司法壟断」）

櫻井　官民合同委員会が請求権協定で日本が支払った三億ドルを「徴用被害の補償」と認めた、と書いていますね。

西岡　韓国最高裁の戦時労働者問題に関するおかしな判決が出て以降、今回が初めてですよ。そうしたら「共に民主党」の「日本の経済侵略対策特別委員会」の委員長が、朝鮮日報の報道についてフェイクニュースだと言いました。さらに青瓦台（韓国大統領の官邸）のスポークスマンが、朝鮮日報は文書を歪曲して引用したとしています。

それについて朝鮮日報は反論を書きましたが、その記事の扱いは小さかったのです。本当は朝鮮日報は一面トップで、もう終わっている話で韓国側が言っていることはおかしいと書くべきなのに、コラム以外の大部分の報道で文在寅側に立って日本政府が実施した輸出管理厳格化を国難だとし、日本側を攻撃している。もうがっかりしましたね。私はずっと朝鮮日報を愛読しているのですが、なんだと思いました。

そして、もう一つがっかりしたのが、黄教安《ファン・ギョアン》氏です。

櫻井　黄教安氏のことを西岡さんは非常に高く評価していらした。

西岡　先日、黄教安さんに期待していると言って、洪先生に怒られたのですが。

櫻井　黄教安氏は野党第一党である「自由韓国党」の代表です。一応、保守の政党だというふうに思われていますが。

洪　保守ではありません。

西岡　私は黄氏に期待して、二〇二〇年四月の韓国総選挙では黄教安体制の自由韓国党が勝って欲しいと考えたのですが、その黄教安氏も国難だからと、左翼群小政党と一緒に文大統領に会い、日本がやっていることは不当な貿易制限だから、それに対して国中で対抗しなければいけないと声明を出したのです。二〇〇五年にあったことを知らないのかと、そういう点でがっかりしていますね。

櫻井　二〇〇五年に韓国が解決済みだと確認したことは、韓国の一般の人は忘れているかもしれませんが、政治家がなぜいま思い出さないのか分かりません。

洪　政治家自身が忘れていたとしても、スマートフォンでも、コンピュータでも、グーグル検索すれば一秒で全部出てきますから、知らないというのはあり得ない。ただ、若い人は一四年前のことなので、単に知らないのだと思います。

戦略物資の不正摘発が激増

櫻井　常識が通じないのが文在寅政権です。その韓国が摘発した戦略物資の不正輸出が急増し、この四年余りで一五六件にものぼることが分かりました。そこで日本の「輸出規制」問題が起きたわけです。西岡さんは言葉の問題にこだわりたいと、強く仰っていますから、どうぞ。

西岡 「輸出規制」や「輸出制限」という言葉で報道されていますが、そうではない。これまで対韓国の輸出を優遇していたのですが、その優遇から除外したということなのです。ですから「優遇除外」という言葉が一番正しいと私は思っています。つまりこれまでは韓国に対して特別待遇だった。それは韓国という国が信用できたからです。その信用がなくなったのは文政権になってからです。

信用がなくなったのには二つ理由があります。一つは、いま、述べてきたように国際条約を守らない、法治が通じないということ。二つ目は文政権になって、戦略物資の取り扱いがおかしいということです。戦略物資とは大量破壊兵器や通常兵器に使われる物資ですが、それが文政権になってから、不法に、許可無しに密輸されていた。その密輸の件数は朴槿恵時代と比べて三倍に増えています。

一九年七月初めに日本政府が管理を厳格化し、優遇措置から除外した三つの品目は、フッ化ポリイミド、レジスト、フッ化水素です。例えばフッ化水素は、ウラン濃縮に使われたり、あるいは毒ガスの原料にもなります。この戦略物資を日本企業が輸出する時には許可が必要ですが、韓国は信用できる国として、一件ごとの許可ではなく、包括的な許可を与えていたのです。そのような優遇をしているのは、アジアでは韓国だけです。台湾やインドネシア、タイ、そういう国には優遇措置を取っていないのですよ。

櫻井　産業通商資源省、つまり韓国政府の戦略物資無許可輸出摘発現況の資料を見ると、二〇一五年の朴槿恵政権では一年間で一四件、摘発事件がありました。では文在寅政権の摘発件数はどうか。文政権が発足したのが一七年五月ですが、その一七年の摘発は四〇件以上、一八年も四〇件以上、一九年は三月までのたった三カ月間で、すでに三〇件以上です。摘発件数は朴槿恵政権時と比較して三倍以上になっています。金額も急増していますね。

西岡　金額で二五倍くらいになっています。でも韓国側は、すでに摘発したのだから問題ないと言っています。

櫻井　それは、おかしな理屈です。摘発したから事はおさまったというわけにはいきません。輸出された戦略物資はいったいどこに消えたのか。行方が掴めていない分をきっちり、解明するのがスジです。

西岡　それに韓国に優遇措置を与える条件として、戦略物資を扱う役所同士が情報交換の協議をすることになっているのですが、三年間、文政権になってからそれが行われていない。その中で摘発がこのように増えている。

そしてこの一五六件とは別に、日本政府から見て不適切な事例があった。個別の企業の名前を出すと、その企業が不利益を被るということで個別の案件を発表していませんが、明らかに本来の目的、例えば半導体とは異なる形で使用されたという事例もあった。

これらについては韓国も取り締まっているのだから、話し合いのルートがあれば日韓で共に取り締まることができますよね。でも、それができないので、日本は韓国への輸出について普通の国と同等の扱いにしたということです。「輸出禁止」にしたのではありません。それなのに韓国の与党の中では、日本の経済侵略だと言っている。

洪　これは経済的な報復ではありません。安倍政権は安全保障の次元として、ハッキリ切り離しているのです。日本は以前より相当冷静になったと私は評価したい。これは安保の問題です。

「革命の敵を二〇〇万人殺す」

櫻井　韓国側は日本の輸出管理は「経済侵略」であると言います。日本の経済侵略に対して韓国が闘っているという物語にしたいのが文大統領です。彼はこの局面で、文禄の役、慶長の役で日本の軍勢と戦った李舜臣を持ち出したりしています。李氏朝鮮の武将で、日本軍を打ち負かした英雄とされているのはご承知の通りです。さらに曺国《チョ・グク》氏が、非常に反日を鼓舞していますね。

洪　曺国氏はフェイスブックで、日清戦争を招いた「東学党の乱」を素材にした『竹槍の歌』を持ち出しました。「東学党の乱」を韓国ではいま「革命」だったと言っていますが、日本軍の機関銃の前に竹槍で突撃して二万人以上が殺されたのです。日本軍の死者は一人。そんなとんでもない争乱を曺国氏は持ち出しているのです。

西岡　その歌を作った人が、金南柱《キム・ナムジュ》という詩人なのです。金氏は南朝鮮民族解放戦線という北朝鮮が作った地下党の党員です。彼は革命資金のために強盗したりして、武装革命を準備していたので、逮捕され、無期懲役となりました。その後に出所するのですが、刑務所の中で詩を書いた。アメリカが韓国を支配しているというような、そういう詩をたくさん書いた。

洪　ただ、彼は死ぬ前は完全に自分の過ちに気がつきました。そして彼はその思想から離れた、転向したのですよ。それなのに曺国氏らはいまでも金氏を利用しています。

西岡　『竹槍の歌』は彼が転向する前、八〇年代に「東学党の乱」をモチーフに書いたもので、いま韓国で英雄になっているのです。

櫻井　『竹槍の歌』はどんな内容なのですか?

西岡　花になりたい、それから鳥になりたい、そして火になりたい、最後には反乱になりたい。そういうものです。

それをなぜ曺国氏がいま持ち出したのか。つまり、反乱を起こせ、日本と戦えということではないかと思います。そしてもっと恐ろしい意味もあります。『竹槍の歌』の金氏と刑務所の中で一緒にいた人が転向して本を書いているのですよ。その中には、金氏から受けた思想教育の内容が書かれています。その内容は、革命の敵を憎め、憎み抜け、そして革命が成功したらその敵を二〇〇〇万人殺すのだというものだった。殺さなければ革命は成功しない、という思想教育を金氏から受けたということです。

そういう思想に基づいた詩を、いま想起させている。先述のように、日本は輸出を普通の国並みにするというだけなのに、それがなぜ「反乱を起こせ」という詩を一緒に歌おうということになるのか、という話です。

櫻井　洪先生、曺国氏について、詳しく紹介してくださいますか。

洪　彼は韓国で革命を起こすという地下組織で、若い時からずっと活動し続けてきた人間です。だから彼はいま、日韓関係で重要なのは、保守か進歩か、左か右かではなく、愛国か利敵かだと言っています。曺国氏は次の法務長官（法務大臣）だと言われていますが（編集注／一九年九月に法相就任。約一カ月で辞任）、彼の頭の中はポル・ポトと同じ。

櫻井　ポル・ポトは、一九七六年に首相になっていますが、カンボジアの共産党創設メンバーで国民を大規模虐殺しました。それと同じ？

洪　そうです。だから先ほどの金氏の思想教育に革命で二〇〇万人を殺すというものがありましたが、いまも曺国氏の頭の中はそれと同じです。

支持率の回答率は四・三%

櫻井　文在寅大統領の支持率は、一九年七月第二週が四七・八%（リアルメーター調査）で、この後、また五〇%に上がったりしています。高い支持率ですが、しかし注目すべきは、この支持率は有権者二五〇三人に調査をしたもので、回答率は四・三%で、一〇七人しか回答していないことになります。これで世論調査として成り立つのでしょうか。

洪　文在寅氏が一七年五月の補欠選挙で当選した時、彼の得票率が四一%だったのです。いまは、その四一%の三分の二が自分が文在寅に投票したのを後悔すると言っています。それなのに、支持率が四一%より高いというようなことがあり得ますか？

櫻井　あまりにもデタラメですが、韓国の世論調査は、だいたいこんなものなのですか？

洪　違います。いまの政権が自分たちに一番有利なところにお金を出して、この数字を出しているのです。「民主労総」（全国民主労働組合総連盟）という戦闘的な左翼の労働組合の傘下にある「言論労組」（全国言論労働組合）などを使うのです。そして一斉に新聞、放送などで、このような支持率ばかりを流している。そして日本のメディアがまたそれを転載し、文在寅大統領はまだ五〇％近く支持があると報道する。みんなで嘘を広めているということですよ。

櫻井　産経新聞がその文大統領と労働組合の問題を指摘していました。それによると、「民主労総」が、文在寅政権の労働政策に反対してゼネストを宣言し、国会周辺などで全国規模のデモを行ったというのです。二〇一六年の朴槿恵前大統領の弾劾を迫る「ろうそくデモ」を当初、主導して「事実上、文政権を誕生させた」と主張する民主労総が政府に反旗を翻したことで、今後の政権運営にも影響しそうだ、と産経は報じています。

さらにこうも伝えています。文大統領は最低賃金を一万ウォン（約九一〇円）に引き上げると公約していたが、政府が最近発表した来年度の引き上げは小幅にとどまり、任期内の達成は実質不可能になった。ゼネストはこれらに反発したもので、デモでは「労働改悪阻止！」などと訴えたと、二〇一九年七月一八日の産経ニュースで伝えた。

民主労総が反旗を翻したということは大変なことではないですか。

文在寅大統領の足下は、いまとても危なくなっていませんか。

民主労総という偽善者

洪　危ないから、世論操作や法律、裁判制度を革命の道具としているのです。司法にも、警察にも自分の同志を配置するわけですね。

それから「民主労総」の場合は、労働運動ではありません。最初から政治闘争、革命が目的です。民主労総の一番、中核になる現代自動車などは、労働者の年収の平均が一〇〇〇万円です。それなのに、上げろ、上げろと言う。

西岡　年収一〇〇〇万円でも最低賃金を満たしていないと言っていますが、それは手当が多いからです。彼らは二カ月に一回、ボーナスが出ているのですよ。だから経営側はボーナス分を基礎賃金に入れたいと言うわけですが、彼らはそれを拒否している。

櫻井　ボーナス分を基礎賃金に入れると、最低賃金を大幅に上回るわけですね。

西岡　なぜ大企業の労組が最低賃金を上げろと言うのかよく分からなかったのですが、そういう仕組みだったのです。中小企業の経営者は、最低賃金を守ったら赤字になってしまうので、どんどん廃業する人たちが増えています。あまりにも不満が多いので、文大統領は最低賃金の上げ幅を小さくしました。しかし、それを公約違反だとして一〇〇〇万円をもらっているような人たちがゼネストをすると言っているのです。

本当にこれは偽善ですよね。

洪　彼らは自分にお金を出している大企業を潰すのが目的です。

櫻井　文在寅政権の経済政策は、大企業を潰して分配するというものですからね。北朝鮮とはまったく別の資本主義、自由経済の道を進んで「漢江の奇跡」と賞賛された経済実績を積んできた国で、文在寅氏は社会主義、大企業潰しをやろうとしている。どうしても理解できませんね。

西岡　革命をしようとする人、大多数の労働組合員、みんな自分の生活さえ良ければいいのですよ。そして民族主義に酔っている。

七〇年代に刑務所に入り、その後、四〇年間、労働運動を行っていた人が、文氏の民族主義に怒っています。自分は労働運動をしてきた左派だが民主労総の偽善は許せない。一番苦しんでいる労働者のことを何にも考えていない。なぜそうなったか。それは民族主義だと。民族主義は麻薬で、最初は飲むと良い気持ちになるけれども、そのうち頭が麻痺する。まさに反日を使って、みんな麻痺させられているのだと言うのです。

彼はこのままでは国は滅ぶと保守派の集会に出てきて、六月五日にソウル市内で行われた慰安婦像・労働者像設置に反対する集会でマイクを握った。そういう左派の活動家がいる。そういう人たちも民主労総を偽善者だと言っています。

文明史の中の闘い

櫻井　ソウル大学経済学部教授だった李栄薫《イ・ヨンフン》先生らが書かれた『反日種族主義』（日本版は文藝春秋刊）が、いま韓国でベストセラーになっています。まさに民族主義という麻薬に酔っていては韓国は滅びると警告しています。

西岡　この本は、初刷りの三〇〇〇部がすぐになくなり、二刷り五〇〇〇部を刷ったのですが、それもなくなった。だから今度は三刷りで一万部刷り、累計一万八〇〇〇部になりました。それが全部売れて、いま一万部をさらに刷っています。現在、発売一〇日で二万八〇〇〇部になっているのです（一九年七月一九日時点）。でも、韓国のどのマスコミも取り上げていません。それなのに、韓国の大型書店・教保文庫では、社会科学部門で一位の売り上げになったりしているということです。

櫻井　反文在寅の動きが大きくなっていることの証拠ですね。金文洙《キム・ムンス》元京畿道知事も太極旗デモの先頭に立っています。『反日種族主義』を書かれた李栄薫先生、同書の執筆者の李宇衍《イ・ウヨン》氏らも果敢に発言しています。

洪　それが一番重要な問題です。いま韓国国内には二つの見方をする人がいます。一つはこの反文在寅の動きを政治工学、選挙工学として、二〇二〇年の総選挙、次の政権交代につなげようと思う人々。もう一方はこれは戦争だという人々です。戦争だという人々は、韓国はすでに全体主義側にレジームチェンジされたから、文在寅がそのまま簡単に権力を手放すはずがない。これは内戦を超えて、文明史的な戦争だと考えています。まさに米中戦争と一体化した戦争だから、そういう覚悟が必要だと。

金文洙元知事などは、選挙を通じて政権交代ができると考えていらっしゃいます。一方で、多くの右派の活動家は、全体主義勢力はそう簡単に権力を手放さないと思っています。それとどこまで闘うのか。つまり、ナチス占領下のフランスのレジスタンスのような覚悟なしでは闘えないと考えています。

私はこう考えます。もし選挙で政権交代ができるのならいいですが、先ほど話したように、「徴用工」問題は請求権協定で解決済みという二〇〇五年に自分がサインをしたものをひっくり返す文在寅がそんなまともな選挙をするはずがない。だから場合によっては、緊急避難的な措置、もしくは血を流す覚悟がなければならないと思います。二〇〇万人を殺すと彼らが言っているのですから、それくらいの覚悟が必要です。野党が上手く選挙対策を立てれば、政権交代ができると簡単に考えるのは、私は間違いだと思います。

櫻井　洪先生は韓国の方だから許容されますが、いまのような話を日本人が言ったら大変なことになりますね。それともう一つは、韓国の未来を考えると、やはり暴力を使っての政権交代は、国際社会に受け入れられにくいのではありませんか。

洪　そういう観点もあります。でも例えば、ベネズエラ問題を、いまマドゥロ政権の交代なしで解決できますか？　例えばイランのあの路線を、あのイスラム神政独裁体制の変化なくして修正できますか？　中国共産党のいまの全体主義体制を、中国共産党そのものの体制を変えずに解決できますか？　韓国はもはや、それらと同じ次元です。

西岡　先ほど洪先生が、金文洙元知事は、選挙を通じた保守政権の成立を信じていると指摘されましたが、彼の危機感は相当なものですよ。

金氏が最近出した長い論文があります。それを見ると、もうチュサパ（主体思想派）勢力、金日成主義者たちが、政権の中枢だけではなく、各界、各層を押さえている、と書いています。なぜならば、自分も彼らと一緒に革命運動をしたからよく分かるのだということです。完全に転向しましたが、彼はソウル大生だった時に、偽装労働者となり革命を目指す労働運動をしていたのですよ。チュサパではなく、純粋マルクスレーニン主義者だった。彼はその分野では有名な労働運動のリーダーだったのです。そういう彼の目で見ると、もう大勢は向こう側に行っている、このまま行ったら韓国はもう滅びるというわけで、そこまでは洪先生と同じです。

そして、次の選挙で自分が通るか通らないか、公認をもらえる、もらえないとか、この党とこの党はどう違うなどと、そんなことを言っている場合ではない。左翼の言葉使いとは違うので表現は違いますが、つまりは統一戦線を作れと言っているのです。反文在寅、反全体主義、統一戦線を作れ、と。それでも勝てるかどうか分からないくらいの危機だぞ、と指摘されています。

東アジア全体の変化

櫻井　私の疑問もそこなのです。黄教安氏が選挙に勝ってくれたら韓国の民主化がなされるのではないかと一時、思っていましたが、今回、文在寅氏と一緒になって日本に対抗しようと言っている。韓国の保守派の人は本当にいったい、どうしているのかと考えてしまいます。一方、金文洙元知事は黄教安氏とは異なり、本当に保守派のリーダーたり得る人物だとしても、彼の政治活動は皆の心を統合する方向に行っているのか、そこがよく見えてきません。

洪 いま韓国内で見られるこの現象は、これは韓国内部の権力がどちらに行くかではなく、東アジア全体の文明史的な変化なのです。

櫻井 大きな背景としてそれはありますね。ただし、大きな流れも、その流れを構成する個々の事柄の推移を見なければ判断がつきません。

洪 つまり、いまの韓半島の全ての問題は、結局、米中戦争で最終的に決着します。先ほど申し上げたように、文在寅政権という集団は、韓国を否定して韓日米から離れ、金正恩と組み、大陸の中国共産党につくのが目的です。そういう勢力は、国内の選挙で変わるものではない。金文洙氏も認めたように、そういうことなのです。金文洙氏はそれを認めるまで時間がかかりました。しかし現実には、彼も党を離れれば力がないと痛感しているので、自由韓国党をいま飛び出すことができません。

いま日本が認識すべきことは、いま目の前で起こっていることは、単なる「徴用工」の問題ではなく、また日韓の摩擦でもなく、アジア、非ヨーロッパの国々で起きる文明史的な巨大な闘いだということです。

西岡　私の先生の一人に李命英《リ・ミョンヨン》先生という金日成の研究家がいたのですが、先生は文明の歴史というものは流れていく、共産党は滅びて自由民主主義になると仰っていました。しかし、川の流れには淵みたいなのがあって、これは戻ることがあるのだという。ちょうど、金大中氏が金正日と会談する直前に亡くなったのですが、「君、いま韓国は淵に入ったぞ、逆流しているのだ」と仰った。

だから私は、いま韓国で内戦が起きていると考えています。どちらが勝つかは、いまは分からない。日本は「白村江の戦い」で軍を送って、負けましたね。その後、日本は侵略を受けるのではないかと考え、防衛力を高めました。いま、日本人はそのことさえ考えていません。韓国で危機が起きているのに、まだ憲法九条の中に自衛隊を書き込むこともできないでいたら、日本の中でいまの韓国のように思想的、政治的内戦が起きた時に、全体主義勢力に呑み込まれることがありうるわけです。闘わなければ全体主義に呑み込まれます。

歴史の流れは、闘った人がいて守られてきたものです。韓国の自由民主主義者に、我々はモラルサポートを送りますが、我々の闘いはまずは日本ですから、日本で闘わなくてはいけない。そういうふうに思っています。

洪　私はいま、日本をとがめるわけではありません。ただ、いまのようにどちらが勝つか分からない歴史の岐路で、金泳三から金大中などを民主化勢力だと徹底して応援し、彼らと闘う側を独裁と言ったのは日本メディアだったのです。だからそういう意味で、日本も反省が必要です。『反日種族主義』を書いた著者たちのように、一人一人が自分の立場で、勇気を持って動けば、状況は変わります。

櫻井　洪さんの思いはよく分かります。韓国の保守派から見れば言いたいことはきっと山ほどあるでしょう。真実を伝えないメディアは、日本にもあるわけですから。私たちはそれと闘い、事実を伝えなければならないと考えています。言論テレビは事実の全体像を伝えることを使命としています。その情報に接した視聴者が判断してくだされればいい。事実を以て語らしめ、その事実の力で世の中をよい方向に変えていきたい。これが言論テレビを主宰してきた私たちの目標です。

（二〇一九年七月一九日放送）

第6章

報道されない真っ二つの韓国

西岡力×洪熒×櫻井よしこ

反文在寅デモに一〇万人

櫻井　日本の新聞報道は本当に生ぬるい。韓国の現状が、まったくといってよいほど伝わっていません。二〇一九年八月一五日、光復節（日本の朝鮮半島統治からの解放記念日）の日に、韓国で反日デモが行われていますが、同時に反文在寅のデモも行われているのです。しかし、反文在寅デモについては日本のメディアは報道しません。反文在寅デモはソウルの真ん中で行われ、主催者発表では三〇万人が参加したのです。主催者発表とはいえ三〇万人というのは大変な数です。それを日本のメディアはまったく報じない。

西岡　反文在寅デモの壇上で旗を振っていたのは先の章で紹介した金文洙《キム・ムンス》氏という元京畿道知事で、私の友人です。デモのＶＴＲを撮影した趙甲濟《チョ・ガプチェ》元『月刊朝鮮』編集長に先ほど電話して人数は何人くらいに見えたか聞いたところ、少なく見ても一〇万人はいたと言っていました。

櫻井　三〇万人が一〇万人でも大デモであることに変わりはありません。反文在寅デモはどんな要求を掲げましたか。

西岡　文在寅大統領を下野させようということです。文在寅氏が青瓦台から自分の足

櫻井よしこ

で出てくるか、さもなければ弾劾して出させると。文在寅氏は韓国の大統領としてふさわしくない、その一点でデモが行われています。

櫻井　文在寅退陣要求のデモということですね。少なく見積もっても一〇万人。ということは、もっと多くの人がいた可能性があるわけですが、このことはソウルでは報道されたのですか？　韓国では、同じ日に反安倍政権のデモもありました。反安倍政権のデモは日本の新聞も報道していましたが、ソウルではどういう扱われ方をしましたか。

洪　韓国では、まず反安倍デモを報道しました。反安倍デモも報道したくなかったでしょうが、文在寅退陣を求めるデモをもみ消すために、反安倍デモを先に報道するというやり

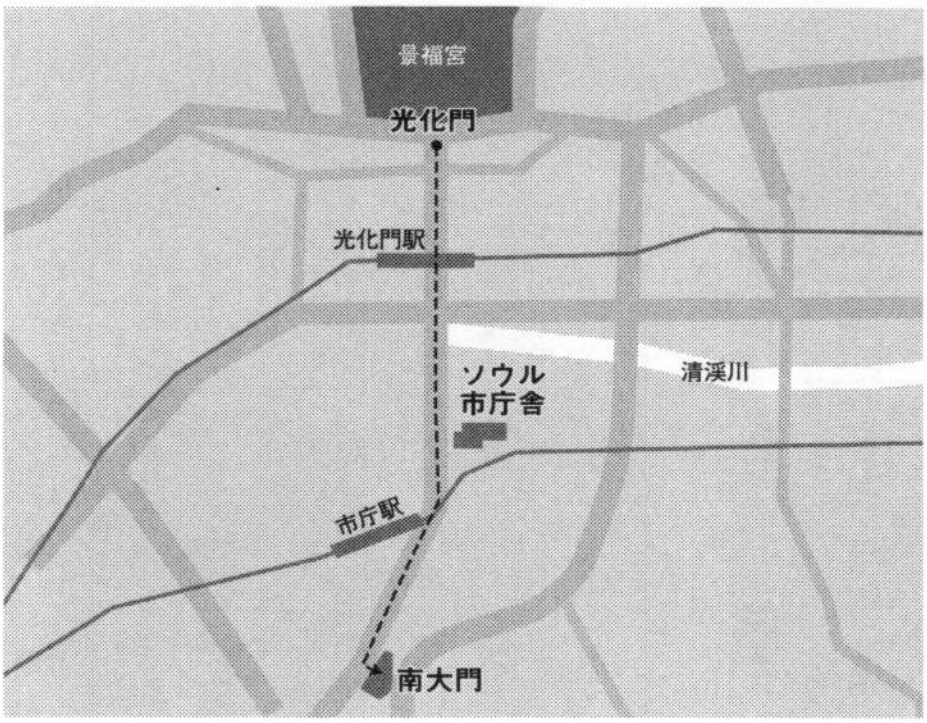

光化門、ソウル市庁舎、南大門までのデモ

方です。特にテレビなどは反文在寅デモはまったく報道していません。

櫻井　まったく？

洪　そうです。

西岡　この日は昼間にすごい雨が降っていたのです。それでも、どんどん人が出てきて、光化門の辺りだけではなくて、光化門からソウル市庁前、そして南大門までずっと人が集まっていました。激しい雨の中なので、みんな傘をさして、立っているのです。

日本が報道した反日デモは座っているので、一人当たりの面積が広い。そして光化門広場だけ。しかしこちらの反文在寅デモの方はみんな立っていて、光化門広場から南大門までを埋め尽くしていたのです。

西岡力、洪熒

反文在寅デモは四つの団体がそれぞれ別の集会を行ったのですが、その後に合流して、午後四時くらいに行進しました。その時のデモに集まった人数が一番多くて、四つの団体のうちの一つ、ウリ共和党は三〇万人が集まったと発表しています。

これまでで一番多く集まった韓国保守派のデモは、朴槿恵弾劾の直前の二〇一七年三月一日の太極旗デモですが、今回の反文在寅デモはその時に次ぐ規模でした。そして、一七年の太極旗デモは老人が多いのが特徴でしたが、今回はそうではなく、老若男女が参加したのです。

櫻井　映像を見ると、若い人たち、壮年の人たちがかなりいましたね。

日韓メディアは「文在寅の共犯」

西岡　一つ言えることは、韓国はいま反日で燃えていると日本のマスコミは報道していますが、その反日デモの少なくとも二倍以上の人が反文在寅で集まったということです。

洪　昨日（八月一五日）の場合は二倍ではなく、少なくとも二〇倍ですね。

櫻井　反安倍デモはそんなに小さかったのですか？

洪　そうです。警察の情報もそうです。

韓国ではメディアが「文在寅の共犯」ですから、反文在寅デモは報道されません。そして「金正恩と文在寅が共犯」です。

先の章でも少し触れましたが、平壌の指導

を受けているような「民主労総」という極左労働組合の傘下に、「言論労組」というメディア全体を束ねる労組があります。

韓国メディアの全社がこの「言論労組」の支部だと考えればよいでしょう。だから韓国のいまのメディアは、朝鮮日報も含めて、文在寅と金正恩に不利なことを報道しない。基本的に、こういう腐った構図になっています。

実は、ソウルにある韓国のすべてのメディアには、提携関係にある日本メディアの特派員がたくさんいます。しかし、彼らはこのデモを見ながら、誰も取り上げなかったということです。

櫻井　そこが、日本のメディアの極めておかしなところで、理解しがたい点です。自分たちの眼前で起きている大変なニュースをなぜ報道しないのか。本当に理解できません。

西岡　反日デモより反文在寅デモの人数が多かったのだから、それだけでも取り上げる価値があるはずですね。

この反文在寅デモでは、「従北反日の文在寅政権は我々の敵だ」「日本はアメリカと共に我々の味方だ」という演説がありました。「日本は我々の味方だ」という演説に野次は一つも飛ばず、反日の演説は一切なかったということです。

洪先生が指摘されたように、韓国のテレビや新聞はこのデモがあることを予告しませんでした。韓国保守派がお金を払って朝鮮日報などに意見広告を出しただけ。でも口コミだけで、これだけの人たちが自分の足でデモに集まった。

一方、反日デモの方は民主労総が組織していますから、おそらく、日当をもらっている人たちもいる。そういうデモで、さらに主催者発表であっても、参加人数を一〇万人としか言えなかったのです。おそらく五万人を切っているだろうと思われます。

ともかく反文在寅の方がデモ参加者が多かったことは絶対間違いない。それなのに報道しなかったという大きな問題があります。やはりこの言論テレビを見ていなければ韓国のことは分かりません。日本でも、ユーチューブを見ていないと本当のことが分からない。

洪　だから私に言わせれば、日本のメディアも「文在寅の共犯」です。

「建国の日」がなくなった韓国

櫻井　先ほど、洪先生は韓国のメディアは文在寅大統領の共犯、文在寅氏は金正恩氏の共犯だから従北勢力であり、不利なことは伝えないと指摘されました。韓国のメディア、言論労組、民主労総が文在寅氏の共犯とは、彼らは何を軸につながっているのか。共有する目標は何なのですか。

洪　民主労総の目標はレジームチェンジで、社会主義の国を作ることです。だから、文在寅政権に不利なこと、平壌に不利なこと、習近平の中国共産党に不利なことは一切報道しません。彼らに言わせると、「報道しない自由」があるのだそうです。

西岡　それに付随して言うと、文大統領は韓国の建国を言わなくなった事実があります。

今回の反文在寅デモは、文在寅退陣要求のほかに一つの主張をしました。八月一五日は「建国記念日」だという主張です。一九四八年八月一五日に大韓民国が建国された。だから、二〇一九年八月一五日に建国七一周年を祝うべきだと、反文在寅の人々は主張しました。しかし、その日の午前中に独立記念館で、文大統領が出席して行われた国主催の式典では「光復記念日」としか言わなかった。光が復び表れた、つまり、日本統治が終わった一九四五年八月一五日を記念しただけで、彼らは「建国の日」だと言わなかったのです。

櫻井　文氏は以前から韓国の建国は大韓民国臨時政府樹立を宣言した一九一九年だと主張してきましたが、そういう意味だと捉えるべきなのですか。

西岡　そうでもないのです。文大統領は、臨時政府の樹立時が建国の日だとずっと言っていたのですが、それに北朝鮮が反対するものだから、一九一九年が建国の日だとも言わなくなりましたね。

櫻井　すると、「建国の日」がなくなってしまった。

西岡　はい。韓国は「建国の日」がなくなってしまったのです。そして自分のことを平壌に行って「南側大統領」と言ったのが文大統領です。これは憲法違反だと言われています。

だからこそ、反文在寅勢力は八月一五日に光化門に集まって、建国を祝おうと言ったわけです。そこに文大統領らとの歴史観の違いがあります。大韓民国が一九四八年に建国されて、自由民主主義、反共という国是を定めた。それが大切なことだと思う人たちが八月一五日に集まった。その人たちにしてみれば日本は、日本が自由主義陣営であれば、味方なのです。
文大統領について、私は当初から彼の本を読めば分かると言ってきました。例えば、文氏が大統領選挙の前に出した『大韓民国が尋ねる、完全に新しい国、文在寅が答える』という対談本があります。つまり彼は「完全に新しい国」を作ろうとしているのだということです。

櫻井　いままでの大韓民国をなくして、完全に新しくする。大韓民国一掃ですか。

西岡　そうです。韓国の主流勢力を交替させると、ここに書いてあるのです。韓国の主流勢力とは何か。それは親日派だということです。日本に協力した親日派が反共派に化けて、主流勢力にいる。その人たちを全部、掃除すると、文氏は言っています。つまり、革命をすると言っているのです。その点で彼は一貫しています。

洪　いま、韓国では「アンチ反日」がものすごく勢いをつけています。メディアはもちろん報道しないのですが、いまや「アンチ反日」に押されているのです。

西岡　李栄薫《イ・ヨンフン》先生らが書いた『反日種族主義』もその「アンチ反日」です。

櫻井　文大統領の光復節のスピーチに「建国の日」が全く出てこないということですが、その文大統領のスピーチを分析してみましょう。

スピーチを読んで、これは徹底的な、腹の底からの反日であり、腹の底からの反韓国であると私は感じました。

ところが文演説を報じた二〇一九年八月一六日の日本の新聞各紙を見ると、すごく良い内容の演説だったように書いてある。まずこの点について話したいと思います。

例えば読売新聞ですが「文氏、日本批判を抑制」とあります。「協力姿勢強調」との見出しもあります。

産経新聞も「文氏、日本に対話促す」と見出しを取りました。

そして朝日新聞は「異例の演説、文氏の苦心」です。反日を出さないために文在寅大統領がずいぶん苦労したと書いてあります。

そして報道によれば、「日本が対話と協力の道に出れば、我々は喜んで手をつなぐ」(同日、朝日新聞)と文大統領は言っています。私に言わせると、いったい何を仰っているのか、対話を拒んで来たのはあなたの方ではないかという気持ちがあるのですが。

西岡　基本的に今回の日韓関係が短期的に悪くなったのは、二〇一八年一〇月の韓国の最高裁判決からですよね。一九六五年の基本条約と請求権協定で解決された問題について、「解決されていない」という判決が韓国最高裁で出たわけです。国際法上、条約は司法を含む国全体を拘束する。だから、文大統領が国際法違反状態を解消する努力をしなくてはいけなかったのに、それをしていない。そのことが根本原因なのにそれに一切触れないで、当面起きている戦略物資の輸出管理問題だけを挙げて、話し合いを、と文大統領は言っているのです。

しかし、それは本末転倒です。原因を提供した側が国際法違反状態を解消しない限り、日本は対話に臨むことはできません。G20で安倍総理が文大統領に会わなかった理由がそこにあるのですから、それについて文氏が苦心した、対話を促したという新聞の見出しの取り方は少しおかしいのではないかと私は思います。

櫻井　文大統領の演説についての二番目の論点は、あの演説が歴史認識への言及を抑えていると報道されていることです。

〈文氏は演説で、歴史認識への言及を抑え、「日本が隣国に不幸を与えた過去を省みて、東アジアの平和と繁栄をともに導くことを望む」との表現にとどめた〉(同日)

朝日新聞は右のように報じました。歴史問題には踏み込まなかったというのです。

このような日本の新聞の文大統領に対する非常に「あたたかい」評価についてはどう思われますか。

文大統領の反日歴史認識

洪　先にも述べましたが、日本のメディアは文在寅政権の共犯だと私は思っています。日本メディアのこの薄っぺらな認識が問題です。

歴史認識への言及を抑えているといいますが、文在寅政権によって韓国の教科書は常に徹底した反日をやっているのです。そして文在寅集団は、反日に止まらず、韓国をも否定している。それを脇に置いたまま、戦術的にいま、反日のカードを下げただけの話ですよ。

櫻井　その戦術の背後にアメリカの影響はありますか。

洪　それもあるし、いま彼らが反日をやると副作用ばかりが目立つから、戦術的に一時的に反日を下げた。代わりに戦術的に出してきたのが、金正恩との平和カード。もちろん、これも通用しませんよ。北側は文在寅をバカにして今日（一九年八月一六日）もミサイルを撃ったでしょう。

西岡　そして、北朝鮮は韓国を相手にしないという声明も出しました。演説の翌日にミサイルを撃ったのに加えて、北の対南機関である祖国平和統一委員会が「われわれは南朝鮮当局者とこれ以上話すこともなく、再び対座するつもりもない」と、拒絶しています。文氏を「まれに見るほどずうずうしい」などとも言って、文氏の面子は丸つぶれです。

洪　北側は相手にしないのに、文政権はその場しのぎの演出ばかりしているのです。それなのに、日本のメディアはあのように書く。これが果たしてメディアなのかと私は思いますね。

西岡　文氏が歴史認識への言及を抑えたと報道されましたが、私はスピーチの歴史認識にも重要な問題があると思いました。文在寅演説の中に、戦争について書いている部分がありますね。

櫻井　私も、その点をものすごくおかしいと思いました。文在寅氏の演説の次の部分ですね。

〈光復はわれわれだけに嬉しいものではありませんでした。清日戦争と露日戦争、満州事変と中日戦争、太平洋戦争にいたるまで、60《ママ》年以上にわたる長い戦争が終わった日であり、東アジア独立の日でもありました。日本国民も軍国主義の抑圧から抜け出し侵略戦争から解放されました〉（二〇一九年八月一五日、聯合ニュース）

西岡　日本の敗戦について、私たちにとってのみの嬉しい日ではなく、アジア全体にとって嬉しかったのだと言っているのです。そこで日清戦争、日露戦争、満州事変、日中戦争、太平洋戦争まで続く長い戦争が終わったと言っている。

しかし、日清戦争から太平洋戦争まで言及したにもかかわらず、なぜその五年後の朝鮮戦争は言わないのか、です。朝鮮戦争こそが、韓国人、朝鮮人が大変な血を流して、いまだに分断が続いている共産勢力の侵略だったわけではないですか。

そのことに触れないで、日清戦争以降、戦争を起こしたのは日本で、日本が悪かったのだ、日本が戦争をやめたから平和が来たのだという。そんな歴史観は間違っていると思いますね。

櫻井　全部日本だけが悪い。朝鮮戦争について全く言わない。

西岡　その後、ベトナム戦争もありましたけれどもそれにも触れない。

事実と乖離した日本非難

洪　以前から文在寅は妄想病だと私は言っているのですが、彼はいまも仮想現実の世界でずっと生きているのです。現実を見ていないので、自分が信じたいことを描いて、それを自分たちの主張として宗教化しているのです。

日本では、その時その時、文在寅が何を言ったかにこだわっていますね。そうすると、彼らがなぜ反日のカードをいま戦術的に下げて、平和のカードを出したのかが分からない。その背景を見ないと何も分かりません。国民を騙し、洗脳し、扇動するのが文政権の目標なのですよ。文在寅が行った演説は、知力の低い国民を騙すために書かれたものです。常識のある人は誰も認めていません。

櫻井　演説の中で本当に不公平だと思ったのは、次の部分です。

〈国際分業体制の下で、どの国であろうと自国が優位にある部門を武器化すれば平和な自由貿易秩序は壊れてしまいます。先に成長を達成した国がその後を追って成長している国のハシゴを蹴り飛ばしてはいけません〉（同前）

これは明らかに日本の貿易管理の厳格化について言及しているわけです。

しかし、この件はまさに韓国の文在寅政権に問題があるわけで、私たちはハシゴを外しているわけではありませんね。ごく普通の常識に基づいて貿易をしましょうと言っているだけです。それなのに、日本を念頭に「ハシゴを蹴り飛ばしてはいけません」などと、よくも仰ると思いました。

西岡　例えば、韓国の鉄鋼最大手であるポスコという企業があります。ポスコに技術協力をしたのはどこだったのかということですよ。日本が韓国と仲良くなり共に発展した方がいいと当時の新日本製鉄の稲山嘉寛社長などが判断して、全面的に技術協力をしたのです。先に成長した日本が後から成長する韓国に技術協力をし、いまや関係が逆転するようなライバルにまでなりました。

あるいはインスタントラーメンの技術もそうです。日本に輸出しないという条件で、サムヤンラーメンに、日本企業がただで技術提供したのです。日本企業が判断して、いいと思ってやったことですから、別に恩を着せることはないですが、先に成長した国が後から成長する国のハシゴを外したということはない。そんなことはしていないのです。

洪　韓国国民も、まともな大人たちは文政権のようには思っていません。例えば輸出管理の問題も、韓国の大人たちはみんな文在寅に、きちんと説明しなさい、日本と協議しなさいと言っているのです。そういうことを日本のメディアは一切報道せず、韓国は文在寅の指揮の下にある、反日の国だと騒ぐから問題です。日本のメディアの報道がもっと冷静に、まともなものであれば、文政権もその圧力を受ける。それなのに文政権に有利な報道ばかりしています。

櫻井　その点は日本のメディアは心して変えていかなければなりません。とても重要なことで、軽く考えてはならないですね。同時に、言論テレビをはじめ、インターネットで伝える情報の重要性を意識します。

「日米韓」否定を宣言

櫻井　さて、もう少し文在寅大統領の演説を見ていきましょう。彼は三大目標を掲げていて、まず「経済強国」になるという。これは日本など何するものぞということですね。

それから二番目が「大陸と海洋の橋梁国家」。つまり橋渡しをする国になるという。そして三番目は「平和経済」。これは南北の経済を一緒にするということです。

西岡　特に二番目を読んだ時に私は、彼の本音がそこに表れていると思いました。

一九四八年の建国以来、韓国は海洋国家として、日本、アメリカと三角南方同盟の中で自由民主主義、反共、市場経済で発展してきたわけです。

一方、大陸国家とは何かと言うと、中国共産党であり、ソ連、いまのロシア、そして北朝鮮。これは世襲独裁政権です。その中間に自分たちは立っていて、行ったり来たりする。北朝鮮がミサイルを発射し、核も解決していない段階でこれを堂々と言うわけです。

つまり日米韓の三角同盟から抜けると公然と宣言したという意味です。日本にとって重大な危険をはらむ、文氏の本音が出ている演説だと見るべきだと私は思いました。

櫻井　私もその点は本当におかしいと思いました。しかし、先述のように、日本のメディアはこのことを書かない。大陸と海洋の橋梁国家、橋渡しになる、バランサーになるという言葉もありました。洪先生は文大統領の考えを、どう分析しますか。

洪　いま、米中戦争が始まったわけです。いわば、大陸の共産全体主義体制を否定する、文明史の中で、人類が乗り越えるべき戦争が始まったこの時、文在寅は共産全体主義を認めている。これは妄想であり、言語道断ですよ。

共産全体主義の独裁体制で、習近平はウイグル人を二〇〇万人以上、拘束している。

そういう体制が、どうして海洋文明と共存できますか。文在寅は仮想現実の中に閉じこもっている妄想患者です。韓国は物理的に海洋と大陸の間に位置していることをもっての言葉遊びにすぎないのです。

櫻井 韓国の発展の背景には、まず米韓同盟があり、日本の経済協力があった。つまり海洋国家を目指す方に韓国が向かうことによって、「漢江の奇跡」も達成して繁栄し、自由な国になっていったわけです。それを全部否定しています。

洪 その通りです。韓国で文氏を引きずり下ろす運動が起きた理由は、アメリカが台湾について「一つの中国」を明らかに否定したことにも起因します。

櫻井 大陸と海洋の橋梁国家になるという文大統領の演説は、大韓民国の歩みを否定するだけでなく、アメリカと日本の否定でもあります。

洪 文明に対する否定ですよ。彼は共産主義者ですから。

西岡 共産主義者というより、金日成主義者と言った方がいいかもしれないですね。つまりいまの北朝鮮、中国共産党を共産主義と見るかどうかということです。北朝鮮や中国共産党はもっとひどい全体主義、ファシズム的な国家だと思いますよ。

ただ、私は文大統領自身が金日成主義者なのか、周囲に利用されているのかについて、判断できないでいます。大統領の周囲にその類いの人がいることは間違いない。

洪　彼らは金日成主義者ですが、習近平氏の中国共産主義、全体主義とくっついているのですから、そういう意味では間違いなく共産主義者です。

西岡　習近平氏自身も共産主義なのか、全体主義なのか、という感じがしますよ。

洪　「中国共産党」のトップですから共産主義であることは間違いありません。

櫻井　習近平氏は毛沢東主義者でしょう。専制独裁政治を志向していることは、習氏が行った二〇一七年一〇月の全人代での長い演説ではっきりしていると思います。

文大統領への北の怒り

櫻井　文大統領が三番目に挙げた「平和経済」。つまり南北が一緒になるということですが、彼の本当の目的がこの中にあるのではないですか。

西岡　文大統領が連邦制での統一を目指しているのではないかと、フジテレビの論説委員がネットのコラムで書いたところ、フジテレビに抗議のデモ隊が来たことがありました。

しかし、まだ大統領になる前ですが、文氏は金大中元大統領の追悼行事の挨拶で、連邦制にすべきだった、なぜできないのか、恥ずかしいと述べています。だから文大統領は、金大中氏がやろうとした南北連合と低い段階での連邦制を目指しているのです。また、金大中大統領は、「国家連合」ではなく「南北連合」と慎重に言っていましたが、文大統領はその人の追悼式で「国家連合」という言葉を使いました。このこと自体が「韓国の領土は北朝鮮までを含む」という韓国の憲法に違反しています。

文大統領はそういうことを堂々と述べた人なので、フジテレビの論説委員が書いたコラムは根拠が十分あると私は思っています。

洪 いまの状況で文在寅政権の言う「平和経済」なんて、話にならないので批判する価値もないですね。

金正恩はなぜいままたミサイルを撃ったのか。実は今朝（一九年八月一六日）、北側が撃ったミサイルはマッハ六・一以上出ているものです。これについて、いま韓国の専門家たちが一番心配しているのは、このミサイルは北が韓国軍のミサイル技術を盗んで作ったものではないかということです。今回のミサイルは韓国の玄武2Aという弾道ミサイルと非常に似ています。

玄武2Aは韓国が開発したものですが、韓国国防部が数年前、北側によって大々的にハッキングされ、天文学的な量のデータが盗まれた。それが本当にハッキングだったのか、どうかは分かりません。私は誰かがデータを持ち出したのではないかと疑っていますけれども。

というのは、文在寅が秘書室長だった盧武鉉政権の時、青瓦台のサーバーが丸ごと平壌側に流出したのではないか、と多くの専門家が疑っているからです。

櫻井　盧武鉉大統領が辞める時に、青瓦台のコンピュータのハードディスクをすり替えて持ち出してしまうという信じられないようなことがありました。国家機密を、そのすべてを盧武鉉大統領は辞任する時に自宅に持って帰った。例えば、安倍さんが総理をお辞めになる時に、日本の国家機密が入ったコンピュータをすべて自宅に持って帰ったらどうなりますか。世論も法も許さない。逮捕されるでしょうが、盧武鉉氏はそれをやった。そのコンピュータが北に流れた可能性があると言っているわけですね。

洪　その時、持ち出したサーバーが見つかるまでには数カ月もかかり、ボロボロの状態で戻ってきました。多くの人は、北に情報を流したのではないかと考えています。今度も、サーバーを売ったというような疑いがある。

ここで大事なのは、では、金正恩はなぜ文在寅をそこまでバカにして、からかって挑発するのか、ということです。

櫻井　なぜですか？

洪　北側が分かってしまったからです。文在寅やチュサパ（主体思想派）のはったりが分かったのです。そして彼らには、文在寅集団は口先だけで、実際に平壌（北）が望むことは何もしてくれないという焦りと怒りがあるのです。

櫻井　つまり平壌は、例えば開城《ケソン》工業団地を再開して本格的な経済援助をしなさいよ、と思っている？

洪　平壌としては文在寅に、もっと進んで韓米同盟の破棄を宣言せよ、ということなのです。文政権はアメリカが恐くて何もできないではないか、我々を騙した、と。それが、いま北側が、口にできないような汚い言葉で文在寅を非難している背景なのです。

西岡　北朝鮮の幹部たちも、文大統領は平壌に来て勇ましいことを言い、我々を支援すると言いながら、実際は何もしていない、と言っていますね。あいつに騙されたと言っているという話は聞いています。

李栄薫氏への訴訟攻撃

櫻井　いま、李栄薫先生や、親日派、反文在寅グループに対する圧力が強くなっています。一方で先述のように、韓国では、反文在寅の大規模なデモが起きています。大変なせめぎ合いが進行中です。

西岡　李栄薫先生は、二件、刑事告発されました。一件は、李先生が述べたことに対する名誉棄損です。李先生は「私のことを親日派と言うけれども、私の家系は臨時政府に関係していた独立運動家の家系なのだ」と言ったのです。それに対して、団体が名誉毀損だと警察に刑事告発をした。

櫻井　それは、どういう理由で？

西岡　こんな親日派が独立運動家だということ自体、迷惑をしているということらしい（笑）。

もう一件は、李栄薫先生が元慰安婦と元「徴用工」たちの名誉を傷つけたとして、ソウル地検に刑事告発をされています。ソウル地検が担当部署を決めたのが一九年八月一五日です。

洪　でも、これは意味がないと思いますね。左翼が告発し続けることが、逆に李栄薫という人を英雄にしているのです。これから新しく生まれ変わる韓国では、彼はもう歴史的な人物になりました。

櫻井 それは『反日種族主義』を書いて、ベストセラーになったことが大きな要因ですか。だとすれば、日韓関係にも改善の可能性が生まれてきます。

洪 これまでの実績だけでも素晴らしい英雄。韓国では学者の枠を超えての英雄です。

西岡 しかし、李栄薫先生は非常に左翼から攻撃されていますが、左翼たちは李先生がソウル大学経済学部教授が正しいのですが、左翼たちは李先生がソウル大学の「名誉教授」だと経歴を詐称していると攻撃しています。ソウル大学は一五年勤務すると名誉教授になるのですが、実は李先生は一四年と八カ月で、四カ月足りないのです。別に李先生は自分のことを「名誉教授」だと言ったことはないのに。

洪 名誉教授と言われて、「違います」と否定しています。

西岡 そもそも韓国には、ソウル大学のような一流大学を定年退職した先生は、みんな名誉教授という称号をつける習慣があるのですよ。だから李先生が地方で講演する際に、主催者が間違えて「名誉教授」と書いたものがあったのです。それを捉えて、李先生が経歴を詐称しているとソウル大学に抗議があった。ソウル大学はこの詐称を放置しているのか、けしからんという動きがいま起きています。

櫻井　それで韓国のテレビ局、ＭＢＣが李栄薫先生の一時間番組を作ったのでしたね。

西岡　そうです。毎週月曜日に『ストレート』という左派の番組があるのですが、その番組ですでに二回、『反日種族主義』を特集しています。最初は一時間番組の三〇分を割き、次は一時間特集しました。

何を放映したか。李先生は日曜日も研究室に行き、研究ばかりしている人なのですが、番組は早朝、研究室に出勤する李先生を待ち伏せしたのです。そしてマイクを突きつけてカメラを回し、インタビューを強要した。李先生は「私はインタビューに応じていない」「約束していないからカメラを回すな」と言ったのに、番組がカメラを回し続けたので、マイクをたたき落としました。それでも彼らはインタビューを続けようとするので、先生が記者の頬を殴った。

櫻井　その一連の行動がカメラに収められて、報道されたわけですね。

西岡　そう。李先生は正当防衛だと言っています。取材の同意もしていないのに、先生の肖像を撮ったので、その時の映像の使用差し止めを李先生は裁判所に申し入れました。が、却下され、番組はその映像を延々と流し、李先生は暴力教授でけしからんと言っています。いま、その暴力事件でも警察に被害届けが出ているという。司法の面々を見ると、検察が動き始めているのは不吉な予感がします。

櫻井　韓国の訴訟は、左翼の常套手段ですからね。李栄薫先生はさらに次々に、様々な理由をつけられて訴訟を起こされる可能性が非常に高い。韓国では訴訟で罰金を科され、身ぐるみはがされた言論人が少なからずいます。

洪　でも、いま文在寅とその一味の時代はもう終わりつつあります。

櫻井　終わりつつあると洪先生は仰るけれども、私は終わるのか、終わらないのかの瀬戸際にあるのではないかと思います。反文在寅のデモがものすごい勢いで行われていることも確かですが、その反面、文在寅大統領は司法を押さえ、メディアを押さえ、それから軍もいま彼の下にあり、教育も押さえている。国家の基盤を文在寅大統領が全部押さえているのですから、いかに人々が反文在寅で団結しようとも、なかなか難しいのではないかという印象を受けます。

洪　全体主義独裁体制は、崩れる時はあっという間に崩れますよ。二〇世紀後半からを見ても、いまの文在寅以上の体制を固めて誇っていた独裁体制が次々に崩れましたから。

二つの大きなうねり

櫻井　私が日本人として本当に悔しいと思うのは、東京大学名誉教授の和田春樹氏のような人たちが、新しい動きをしていることです。

西岡　「韓国は敵なのか」という声明文を、和田春樹氏をはじめ七七人の日本の学者らが出しましたね。それで和田氏は韓国で大きな賞をもらいました。

櫻井　その賞を説明してください。

西岡　三・一運動に参加した詩人、韓龍雲の号である「萬海《マンヘ》」を冠した賞です。その萬海大賞授賞式のために和田氏は韓国（江原道麟蹄郡）に行き、次のように述べています。

〈「私は戦争後の平和時代を生きてきた人間として、日本が植民地支配を謝罪して反省することを主張して生きてきた。日韓両国は相互信頼の中で生きていかなければならない。私は最後まで同じ道を歩いていく」〉（二〇一九年八月一三日、中央日報）

和田氏の論理では、日韓併合条約は当時から無効だったと日本政府に言わせたい。しかし日本は、日韓併合条約は国際法上、有効だったと言い、韓国は当初から無効だと言っています。そこで外交的に妥協して一九六五年に未来志向で国交正常化をしたのですよ。つまり、もう終わったことなのに、それを蒸し返して日韓関係を悪くしよう、悪くしようとしているのが和田氏です。

さらに彼は、日朝国交促進国民協会の事務局長をやり、横田めぐみさんの拉致は嘘だと言っていた人です。まさに彼も韓国の左派と同じで、日韓関係を心配しているのではなく、日米韓の同盟を破壊して韓国を北朝鮮の側に送る親北人士だと思います。

洪　和田氏らとつながっている人々の中には、まだ明らかに日本当局のために平壌と日本を密かに往来しながら、向こうの空気を探る、そういう行動をしている人もいる。彼らはいったいどういうつもりなのか、と思うのですが。

西岡　日本の国会議員の中にも、日朝国交正常化推進議員連盟などがありますしね。そういう大変不愉快な人たちがいるのは事実ですが、安倍政権の方針は先に圧力、その後に話し合いです。日米韓の三角同盟、特にアメリカとの同盟関係を強めて中国と文明の闘いをすることに揺らぎはありません。

和田氏らはまさに歴史の中で消えていく人たちだと思います。

洪　曺国法務長官を指名する日、実は文在寅大統領の外交安保特別補佐官である文正仁《ムン・ジョンイン》という人を駐米大使に指名発表するはずだったのです。しかし、その前日に彼が辞退しました。金正恩のスポークスマンの文在寅、またその文在寅のスポークスマンの文正仁。彼をアメリカが拒否したからです。

西岡　文正仁氏は、「本当に悪いのはアメリカだ、北に圧力をかけているボルトンは悪い奴だ」と、言いまくっている人ですからね。

洪　そうです。アメリカは、いま見えないところで、習近平の中国共産党が韓国を掌握できないように措置を取っているのです。

文在寅は文正仁を任命することで、アメリカを侮辱し、それにアメリカが怒って韓米同盟の解消の方に向かうよう、そうアメリカを誘ったのです。

西岡　それこそ文正仁氏は、始終、日本に来て、日本の記者や政治家、識者に会っていますよね。北の手先のような人と、日本の識者たちが、なぜ会い、インタビューなんてするのかと思いますよ。

洪　そうですよ。日本のれっきとした学者たちがなぜ北の「スポークスマン＝スパイ」に会うのかと私は思う。

西岡　「スパイ」だと思って会うなら、それはそれで必要もあるかもしれません。しかし、いま文正仁氏に会っている人たちは、彼をそういう人だと分かっていなくて、専門家が来たと思って会っている。

洪　文正仁の正体も分からない人々が、日本では専門家ですか?

西岡　それは洪先生に教えてもらっていないから。私は洪先生に教えを受けているから分かっていますけれども。

韓国ではユーチューブを見ている人たちが反文在寅の方に集まり、テレビを見て反日をやっている人よりも増えました。日本でも、テレビや新聞だけ見ていては駄目で、言論テレビを見ている我々が、いま日本は何をすべきなのかを考えて、行動すれば、韓国のように事態を変えることができるかもしれない。

櫻井　いま、本当に大きなうねりが朝鮮半島に起きています。反文在寅の大きなうねり、そして文在寅側による反大韓民国、反日、反米の大きなうねり。この二つがぶつかっています。私たちの未来がどちらに向かうのか、せめぎ合いの真っただ中にいます。楽観的に考えては絶対にいけないのだと思います。

（二〇一九年八月一六日放送）

あとがき

武漢ウイルス危機が未だおさまらない今日、特に強調したいのは、状況が激変している時こそ情報が命であり、メディアは物事の本質に迫る情報を偏りなく伝えなければならないということです。当たり前のことです。しかし、日本ではこの当たり前のことがなされず、後述するように偏向報道が罷り通ってきました。

偏向報道のひどさに気付いた人たちが大メディアから離れたのも当然です。ネットメディアが力をつけ、広告主もいまでは新聞や大手テレビ局など既存のメディアから離れ、ネットメディアに軸足を移しつつあるのも時代の当然でしょう。その中で私たち言論テレビも、その他多くのネットメディアと競いながら、より正しい情報を出せるよう、誇りを持って、責任を果たしていこうと力を尽くしています。

私たちの言論テレビは八年前に始まりました。当時インターネットを使った情報番組は数えるほどでしたが、いまではネット番組は林立しています。どの番組も個性があって元気です。言論テレビも、キャスターを務める花田紀凱《かずよし》さんも私も元気です。そして私たち言論テレビはネット番組を立ち上げて本当によかったと実感しています。その想いを決定的にしたのが、二〇一七年七月二八日、前愛媛県知事の加戸守行氏を番組にお招きした時でした。

その少し前の七月一〇日に加戸氏は愛媛県今治市の加計学園に獣医学部を新設した当事者として、国会閉会中審査に参考人として出席し、意見を述べました。共に出席したのが前文部科学事務次官の前川喜平氏でした。文科省の官房長を務めた加戸氏は前川氏の先輩に当たります。

閉会中審査での焦点は、加計学園が獣医学部新設を認めてもらった背景に総理大臣の安倍晋三氏の介入があったかどうかという点でした。二人の意見は真っ向からぶつかりました。前川氏は「安倍首相が政治的圧力で行政を歪めた」と非難し、加戸氏は逆に「安倍首相は歪められていた行政を正した」と述べました。日本では獣医師が不足しているにもかかわらず、獣医学部の新設が五二年間も認められていないのは文部行政が歪んでいる証拠だとして、加戸氏は逆に文科省を批判したのです。

NHK、日本テレビ、TBS、テレビ朝日、テレビ東京、フジテレビの六局は、ニュース番組やワイドショーなど三〇番組でこの加計学園問題を報道しました。報道は全体で八時間四四分に上りました。そのうち、前川氏の発言には二時間三三分が割かれています。他方、前川発言と真っ向から対立した加戸氏の発言は六分しか報じられませんでした。六局三〇番組でたったの六分です。加戸発言は事実上、無視されたのです。

二つの対立する意見がある時、両方を報じることがジャーナリズムの基本です。いわんや、電波という特権を割り振ってもらっているテレビ局は放送法を遵守して公正さを担保しなければなりません。しかしNHKをはじめ民放全社が放送法に違反しました。ひどい偏向報道が罷り通ったのです。加戸発言を報じない地上波や新聞の異常さに私たち言論テレビは憤りました。そこで加戸氏をお招きし、事実を語ってもらったのです。

番組の視聴者からは、「これで加計学園問題の全体像がよく分かった」など、多くの意見が寄せられ、非常に大きな反響がありました。その反響の大きさに心を揺さぶられました。ネットテレビを主宰していて本当によかった、と実感した瞬間でした。

＊

加計学園がいかにして獣医学部新設に取り組んだか、加戸氏は私の書斎をスタジオにした言論テレビでざっと以下のように語りました。

〈愛媛県知事として今治市を学園都市にしたい、そのために新しい大学をつくりたいと考えていた。四国四県のどこにも獣医学部がないため、新しい大学は獣医学部を中心にしたライフサイエンスに特化するのが最適だと考えた。そこで新学部創設に向けて、愛媛県、今治市、加計学園の共同作業を始めた。当時、国には「構造改革特区」という制度があり、その制度の下で一五回も申請したが、全て却下された。一五回のうち、安倍内閣に却下されたのは五回に上る。メディアは安倍首相は加計学園の理事長で友人の加計孝太郎氏に甘いと報じていた。しかし自分は反対に、首相は友人に冷たいじゃないかとさえ思っていた。首相に、友達に便宜をはかろうという私心がなかったのは火を見るより明らかだ〉

加戸氏はこのように語り、さらに次のように続けたのです。

〈一五回も申請却下が続いていた当時、内閣府が「国家戦略特区」という制度を設けて岩盤規制を打ち破り新しい産業を育てようとしていることを報道で知った。愛媛県も今治市もそこに活路を求めようと考え、一五年六月に申請した〉

結論から言えば、この国家戦略特区の制度のおかげで加計学園の獣医学部新設がようやく認められたのです。それ以前に一五回も却下されていたのに、何故、認めてもらえたのでしょうか。理由は国家戦略特区の諮問会議に民間の有識者が委員として参画していたからでした。既得権益にしがみつく日本獣医師会と文科省の抵抗を打ち砕いたのが民間委員です。それ以前の構造改革特区の委員会にいたのは文部官僚と獣医師会のメンバーだけで、民間委員はいなかったのです。

しかし、岩盤規制を打ち破ろうとする民間委員がいても、加戸氏らの闘いは容易ではありませんでした。例えば、加戸氏らが一五年六月に国家戦略特区に申請した時、「日本獣医師政治連盟」がこの動きを察知して石破茂氏に働きかけました。石破氏は日本獣医師政治連盟の働きかけを受けて、新学部創設に厳しい条件をつけて、これを閣議決定にもち込んだと言われています。

日本獣医師会と石破氏は一体どんなことをしたのでしょうか。そのことも知っておく必要があります。この件について二〇一七年七月一七日に産経新聞がスクープを飛ばしました。その記事によると、二〇一五年九月九日、地方創生担当大臣だった石破氏を、日本獣医師政治連盟委員長の北村直人氏らが訪ねました。その時、石破氏がこう語ったというのです。

「今回の成長戦略における大学学部の新設の条件については、大変苦慮したが、練りに練って誰がどのような形でも現実的に参入は困難という文言にした」

右の発言は日本獣医師会のホームページに石破氏の発言として公開されたものです。ここから読みとれるのは絶対に獣医学部新設を阻んでみせるという強い意志です。そのために規制を強めたと石破氏は言っているのです。強められた規制は「石破四条件」と呼ばれました。

つまり、獣医学部新設問題で政治家の介入があったとすれば、それは安倍首相ではなく、新設を阻止しようとした石破氏だったということになります。既得権益を守るために獣医師会が政治家に働きかけた結果です。どこから見ても安倍首相が友人の加計氏のために便宜をはかったという事実はありません。

しかし大手メディアはそんなことは報じません。あくまでも安倍首相が裏で糸を引いた暗い疑惑として報じています。大手メディアによる加計学園報道は事実上の安倍倒閣運動だったのではないでしょうか。そんなことが許されるのでしょうか。許されるはずがありません。メディアは対立する意見の双方を伝えるのが本来の使命です。大手メディアがその責任を果たさないのなら、小なりといえどもネットメディアとしての言論テレビがやってみせると思ったものです。

加計学園問題について、メディアが本来指摘すべき点は、わが国の岩盤規制がどれほど強いかということ、これでは新しい可能性は絶対に生まれないということではないでしょうか。

それにしても数多ある岩盤規制の中でも、獣医学部新設の規制はとりわけ異様です。通常の学部の場合、文科省は新設認可の申請を受けて審査します。しかし獣医学部に関しては新規参入計画は最初から審査に入らない。どれだけすばらしい提案でも、新規参入は全て排除する。こんな規制は他にはありません。

「異様」の意味はもう一つあります。既得権益の塊のようなこの岩盤規制が実は法律ではなく文科省の「告示」で決められていることです。告示は国会での審議も閣議決定もなしに、文科省が勝手に決められます。それによって文科省は大変強い権力を持つことになります。

再度強調します。文科省は国民の負託を受けるわけでもなく、勝手に告示を決定して絶大な権限を手に入れていたのです。メディアが掘り下げるべきは、本当はこうした情報でしょう。

本来の役割を果たさないメディアによって発言を全面的に無視された加戸氏は、言論テレビに四回登場してくださいました。そしてこう語りました。「ジャーナリズムというものは非常に強い力を持っている。だからこそ、自浄能力、自制心を持たなければメディアは滅びる。メディアの偏向が正されない限り、日本の未来はない」と。日本の既存メディアは「報道しない自由」を行使しているとも言いました。「報道しない自由」、実に深く、私の心に残った言葉です。

＊

ジャーナリズムが正されなければ日本の未来はないと、毅然として断じた加戸氏はもう一つ、無責任なジャーナリズムの所為《せい》で極めて苦い体験をしています。氏はその体験を、雑誌『正論』の令和二年四月号に寄稿しています。

ちなみに加戸氏は今年、令和二年三月二一日に亡くなりました。これから御紹介するのは『正論』の内容ですが、この原稿が氏の遺稿となりました。

〈(加戸氏が主にメディア対応を任務にする官房総務課長になった時に)昭和五十七年の「教科書誤報事件」に見舞われます。発端は六月二十六日、文部省が教科書検定で高校の歴史教科書において中国華北地域への「侵略」を「進出」と書き換えさせた――とするニュースが一斉に報じられたことでした。ですが実際には、報じられたような文部省が「侵略」を「進出」に書き換えさせた事実などありませんでした。濡れ衣であり、かつ完全な誤報でした。メディア対応をしていた私は一生懸命、マスコミに繰り返し、そのことを訴えて善処を求めました。「こんな誤報を流してあなた方は恥ずかしくないんですか!」と迫ったこともありました。ですが、記者の皆さんは口を拭って正そうとはしませんでした〉

〈(文部省記者クラブの分担でこの時)日本史を担当していたのは日本テレビの記者でした。ところが、彼が思い込みで誤った報告をしてしまいます。他社は自分で調べることなく、彼の報告を聞いて「これは凄い話だ!」と飛びついて記事にしてしまった。それで全社が一斉に誤った内容を報じてしまったのです。

そういうやり方だと間違えたときが実に厄介です。さすがに「日本テレビが間違えたので私も間違えました」とは言えないわけです。いくら訂正を迫られ、誤報だと頭では理解できても引っ込みがつかなくなってしまっていますから、なかなか訂正などに踏み切れないのです。（中略）

そんななか、「なんとかしましょう」と言って、会社に相談し、訂正記事を決断した社がありました。産経新聞でした。これで報道された内容が間違いだったことは何とか世の中に明らかになりました〉

しかし、中国や韓国の反発は凄まじく、外交問題に発展して、教科書の内容を近隣諸国にチェックされるという前代未聞の状況が起きてしまったと加戸氏は書いています。

穏やかな佇まいと熱い心の方でした。家族と古里と日本を愛した加戸さんは、わが国の教科書のひどさ、それをさらに歪めて報道するメディアに、どれだけ悔しい想いを抱いていたことでしょう。加戸さんの、「自浄能力、自制心を持たなければメディアは滅びる」「メディアの偏りで日本は滅びる」という言葉を私はずっと大切な指針としていきたいと思います。

既存のメディアの歪曲報道や捏造報道はまだまだたくさんあります。「慰安婦問題」や「南京大虐殺」がどれほど、日本を貶めたかは、いまさら指摘するまでもないでしょう。

何があっても日本が悪い、政府が悪いという視点から報道する大手メディアの所為で、日本は異常な国になり果てています。

言論テレビを御覧になったことのない方は是非、一度番組をご覧になってください。そして言論テレビの会員になって私たちを支えてください。私たち言論テレビは力一杯、皆さんの情報力を高めるよう頑張ります。一緒にこの国をよい方向に変えていく力になってくだされば、とても嬉しく思います。

令和二年四月一一日

櫻井よしこ

本書は、櫻井よしこキャスターの番組『櫻LIVE　君の一歩が朝《あした》を変える！』（製作／言論テレビ）で放送された対談をもとに再構成、大幅に加筆したものです。

言論テレビ http://www.genron.tv

櫻井よしこ（ジャーナリスト）

ジャーナリスト。ベトナム生まれ。ハワイ州立大学歴史学部卒業。「クリスチャン・サイエンス・モニター」紙東京支局員、アジア新聞財団「ＤＥＰＴＨＮＥＷＳ」記者、同東京支局長、日本テレビ・ニュースキャスターを経て、フリー・ジャーナリスト。1995年に『エイズ犯罪　血友病患者の悲劇』（中央公論）で第26回大宅壮一ノンフィクション賞、1998年に『日本の危機』（新潮文庫）などで第46回菊池寛賞を受賞。2011年、日本再生へ向けた精力的な言論活動が高く評価され、第26回正論大賞受賞。2007年「国家基本問題研究所」を設立し理事長、2011年、民間憲法臨調代表に就任。2012年、インターネット動画番組サイト「言論テレビ」を立ち上げ、キャスターを務める。
著書に、『「正義」の嘘　戦後日本の真実はなぜ歪められたか』『「民意」の嘘　日本人は真実を知らされているか』『朝日リスク　暴走する報道権力が民主主義を壊す』（花田紀凱氏との共著、産経新聞出版）、『赤い韓国』（呉善花さんとの共著、産経新聞出版）、『愛国者たちへ』（「論戦」シリーズ、ダイヤモンド社）、『何があっても大丈夫』『一刀両断』（新潮社）、『迷わない。』（文春新書）など多数。

親中派の嘘

令和２年５月12日　第１刷発行
令和２年６月21日　第６刷発行

著　　者　櫻井よしこ
発 行 者　皆川豪志
発 行 所　株式会社産経新聞出版
〒100-8077 東京都千代田区大手町 1-7-2
産経新聞社８階
電話　03-3242-9930　FAX　03-3243-0573
発　　売　日本工業新聞社　電話　03-3243-0571（書籍営業）
印刷・製本　株式会社シナノ

ISBN 978-4-8191-1384-7　C0095
